D1539128

COLECCIÓN
Mar de tinta
letras centroamericanas

Sergio Ramírez

Juego perfecto

Primera edición: 2008

Primera reimpresión: 2009

© 2008 Sergio Ramírez
© 2008 Francisco Alejandro Méndez
   por artículo *Vuela como mariposa y
   pica como abeja*
   D.R.
© 2008 Editorial Piedra Santa
© 2008 Amanuense Editorial

ISBN: 978-99922-1-057-4

Amanuense Editorial -
Grupo Amanuense
11 Calle 22-84 A, z. 14 Residenciales
Darué
Ciudad de Guatemala, Guatemala
Telefax: (502) 2367-5364
amanuense@intelnett.com
www.grupoamanuense.com

Editorial Piedra Santa
37 Ave. 1-26 zona 7
Tels. (502) 2422 7676
Fax: (502) 2422 7610
editorial@piedrasanta.com
Guatemala, Guatemala, C. A.

Distribuidora salvadoreña
Calle Camaguey # 20-I, colonia Yumuri
Tels (503) 2261 2281 - 2261 2282
elsalvador@piedrasanta.com
San Salvador, El Salvador, C.A.
www.piedrasanta.com

*Diseño e ilustración
de portada:*
Alejandro Azurdia

Diseño de interiores:
Marco Antonio Ortíz
y diagramación:
Amanuense Editorial

Corrección de texto:
Betty de Solís

Edición a cargo de:
Michelle Juárez

Impreso en Guatemala por
Gare de Creación, S.A.

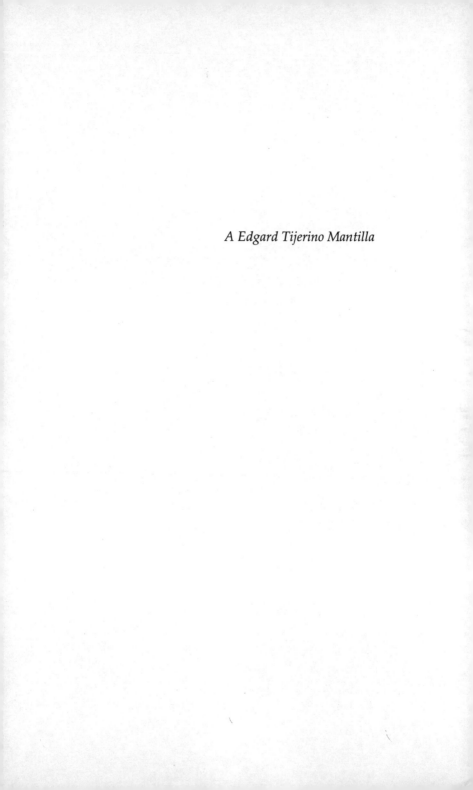

A Edgard Tijerino Mantilla

El centerfielder

El foco pasó sobre las caras de los presos una y otra vez, hasta que se detuvo en un camastro donde dormía de espaldas un hombre con el torso desnudo, reluciente de sudor.

—Ese es, abrí —dijo el guardia asomándose por entre los barrotes.

Se oyó el ruido de la cerradura herrumbrada resistiéndose a la llave que el carcelero usaba amarrada a la punta de un cable eléctrico, con el que rodeaba su cintura para sostener los pantalones. Después dieron con la culata del garand sobre las tablas del camastro, y el hombre se incorporó, una mano sobre los ojos porque le hería la luz del foco.

—Arriba, te están esperando.

A tientas comenzó a buscar la camisa; se sentía tiritar de frío aunque toda la noche había hecho un calor insoportable, y los reos estaban durmiendo en calzoncillos, o desnudos. La única hendija en la pared estaba muy alta y el aire se quedaba circulando en el techo. Encontró la camisa y en los pies desnudos se metió los zapatos sin cordones.

—Ligerito —dijo el guardia.

—Ya voy, qué no ve.

—Y no me bostiqués palabra, ya sabés.

—Ya sé qué.

—Bueno, vos sabrás.

El guardia lo dejó pasar de primero.

—Caminá—le dijo, y le tocó las costillas con el cañón del rifle. El frío del metal le dio repelos. Salieron al patio y al fondo, junto a la tapia, las hojas de los almendros brillaban con la luz de la luna. A las doce de la noche estarían degollando las reses en el rastro al otro lado del muro, y el aire traía el olor a sangre y estiércol.

Qué patio más hermoso, para jugar béisbol. Aquí deben armarse partidos entre los presos, o los presos con los guardia francos. La barda será la tapia, unos trescientos cincuenta pies desde el *home* hasta el *centerfield*. Un batazo a esas profundidades habría que fildearlo corriendo hacia los almendros, y después de recoger la bola junto al muro el cuadro se vería lejano y la gritería pidiendo el tiro se oiría como apagada, y vería el corredor doblando por segunda cuando de un salto me cogería de una rama y con una flexión me montaría sobre ella y de pie llegaría hasta la otra al mismo nivel del muro erizado de culos de botellas y poniendo con cuidado las manos primero, pasaría el cuerpo asentando los pies y aunque me hiriera al descolgarme al otro lado caería en el montarascal donde botan la basura, huesos y cachos, latas, pedazos de silletas, trapos, periódicos, animales muertos y después correría espinándome en los cardos, caería sobre una corriente de agua de talayo pero me levantaría, sonando atrás duras y secas, como sordas, las estampidas de los garands.

—Páreseme allí. ¿A dónde creés vos que vas?

—Ideay, a mear.

—Te estás meando de miedo, cabrón.

Era casi igual la plaza, con los guarumos junto al atrio de la iglesia y yo con mi manopla patrullando el *centerfield*, el único de los *fielders* que tenía una manopla de lona era yo y los demás tenían que coger a mano pelada, y a las seis de la tarde seguía fildeando aunque casi no se veía pero no se me iba ningún batazo, y sólo por su rumor presentía la bola que venía como una paloma a caer en mi mano.

— Aquí está, capitán — dijo el guardia asomando la cabeza por la puerta entreabierta. Desde dentro venía el zumbido del aparato de aire acondicionado.

— Métalo y váyase.

Oyó que la puerta era asegurada detrás de él y se sintió como enjaulado en la habitación desnuda, las paredes encaladas, sólo un retrato en un marco dorado y un calendario de grandes números rojos y azules, una silleta en el centro y al fondo la mesa del capitán. El aparato estaba recién metido en la pared porque aún se veía el repello fresco.

— ¿A qué horas lo agarraron? — dijo el capitán sin levantar la cabeza.

Se quedó en silencio, confundido, y quiso con toda el alma que la pregunta fuera para otro, alguien escondido debajo de la mesa.

— Hablo con usted, o es sordo: ¿A qué horas lo capturaron?

— Despuecito de las seis, creo — dijo, tan suave que pensó que el otro no lo había escuchado.

— ¿Por qué cree que despuecito de las seis? ¿No me puede dar una hora fija?

— No tengo reloj, señor, pero ya había cenado y yo como a las seis.

Vení cená, me gritaba mi mamá desde la acera. Falta un *inning,* mamá, le contestaba, ya voy. Pero hijo, no ves que ya está oscuro, qué vas a seguir jugando. Si ya voy, sólo falta una tanda, y en la iglesia comenzaban los violines y el armonio a tocar el rosario, cuando venía la bola a mis manos para sacar el último *out* y habíamos ganado otra vez el juego.

—¿A qué te dedicás?

—Soy zapatero.

—¿Trabajás en taller?

—No, hago remiendos en mi casa.

—Pero vos fuiste beisbolero, ¿o no?

—Sí fui.

—Te decían "*Matraca*" Parrales, ¿verdad?

—Sí, así me decían, era por mi modo de tirar a *home*, retorciendo el brazo.

—¿Y estuviste en la selección que fue a Cuba?

—Sí, hace veinte años, fui de *centerfielder*.

—Pero te botaron.

—A la vuelta.

—Eras medio famoso con ese tu tiro a *home* que tenías. Iba a sonreírse pero el otro lo quedó mirando con ira. La mejor jugada fue una vez que cogí un *fly* en las gradas del atrio, de espaldas al cuadro metí la manopla y caí de bruces en las gradas con la bola atrapada y me sangró la lengua pero ganamos la partida y me llevaron en peso a mi casa y mi mamá echando las tortillas, dejó la masa y se fue a curarme llena de orgullo y de lástima, vas a quedarte burro pero atleta, hijo.

—¿Y por qué te botaron del equipo?

—Porque se me cayó un *fly* y perdimos.

—¿En Cuba?

—Jugando contra la selección de Aruba; era una palomita que se me zafó de las manos y entraron dos carreras, perdimos.

—Fueron varios los que botaron.

—La verdad, tomábamos mucho, y en el juego, no se puede.

—Ah.

"Permiso" quería decir, para sentarse, porque sentía que las canillas se le aflojaban, pero se quedó quieto en el mismo lugar, como si le hubieran untado pega en las suelas de los zapatos.

El capitán comenzó a escribir y duró siglos. Después levantó la cabeza y sobre la frente le vio la roja señal del kepis.

—¿Por qué te trajeron?

Sólo levantó los hombros y lo miró desconcertado.

—Ajá, ¿por qué?

—No —respondió.

—No, qué.

—No, no sé.

—Ah, no sabés.

—No.

—Aquí tengo tu historia —y le mostró un fólder—, puedo leerte algunos pasajes para que sepás de tu vida —dijo poniéndose de pie.

Desde el fondo del campo el golpe de la bola contra el guante del *catcher* se escucha muy lejanamente, casi sin sentirse. Pero cuando alguien conecta, el golpe seco del bate estalla en el oído y todos los sentidos se aguzan para esperar la bola. Y si el batazo es de aire y viene a mis manos, voy esperándola con amor, con paciencia, bailando debajo de ella hasta que llega a mí y poniendo las manos a la altura de mi pecho la aguardo como para hacerle un nido.

—El viernes 28 de julio a las cinco de la tarde, un Jeep Willys capota de lona, color verde se paró frente a tu casa y de él bajaron dos hombres: uno moreno, pantalón kaki, de anteojos oscuros; el otro chele, pantalón bluyín, sombrero de pita; el de anteojos llevaba un valijín de la Panamerican y el otro un salbeque de guardia. Entraron a tu casa y salieron hasta las diez de la noche, ya sin el valijín ni el salbeque.

—El de anteojos—dijo, e iba a seguir pero sintió necesidad de tragar una cantidad infinita de saliva—sucede que era mi hijo, el de anteojos.

—Eso ya lo sé.

Hubo otro silencio y sintió que los pies se le humedecían dentro de los zapatos, como si acabara de cruzar una corriente.

—En el valijín que te dejaron había parque para ametralladora de sitio y el salbeque estaba lleno de fulminantes. Ahora, ¿cuánto tiempo hacía que no veías a tu hijo?

—Meses —susurró.

—Levántame la voz, que no oigo nada.

—Meses, no sé cuánto, pero meses. Desapareció un día de su trabajo en la mecatera y no lo volvimos a ver.

—¿Ni te afligiste por él?

—Claro, un hijo es un hijo. Preguntamos, indagamos, pero nada.

Se ajustó la dentadura postiza, porque sintió que se le estaba zafando.

—¿Pero vos sabías que andaba enmontañado?

—Nos llegaban los rumores.

—Y cuando se apareció en el Jeep, ¿qué pensaste?

—Que volvía. Pero sólo saludó y se fue, cosa de horas. —Y que le guardaran las cosas.

—Sí, que iba a mandar por ellas.

—Ah.

Del fólder sacó más papeles escritos a máquina en una letra morada. Revisó y al fin tomó uno que puso sobre la mesa.

—Aquí dice que durante tres meses estuviste pasando parque, armas cortas, fulminantes, panfletos, y que en tu casa dormían los enemigos del gobierno.

No dijo nada. Sólo sacó un pañuelo para sonar-
se las narices. Debajo de la lámpara se veía flaco y
consumido, como reducido a su esqueleto.

—Y no te dabas cuenta de nada, ¿verdad?

—Ya ve, los hijos —dijo.

—Los hijos de puta, como vos.

Bajó la cabeza a sus zapatos sucios, la lengüeta
suelta, las suelas llenas de lodo.

—¿Cuánto hace?

—¿Qué?

—¿Que no ves a tu hijo?

Lo miró al rostro y sacó de nuevo su pañuelo.

—Usted sabe que ya lo mataron. ¿Por qué me
pregunta? El último *inning* del juego con Aruba, 0 a
0, dos *outs* y la bola blanca venía como flotando a mis
manos, fui a su encuentro, la esperé, extendí los brazos
e íbamos a encontrarnos para siempre cuando pegó
en el dorso de mi mano, quise asirla en la caída pero
rebotó y de lejos vi al hombre barriéndose en *home* y
todo estaba perdido, mamá, necesitaba agua tibia en
mis heridas porque siempre vos lo supiste, siempre
tuve coraje para *fildear* aunque dejara la vida.

—Uno quiere ser bueno a veces, pero no se
puede—dijo el capitán rodeando la mesa. Metió el
fólder en la gaveta y se volvió para apagar el aparato
de aire acondicionado. El repentino silencio inundó el
cuarto. De un clavo descolgó una toalla y se la arrolló
a pescuezo.

—Sargento —llamó.

El sargento se cuadró en la puerta y cuando
sacaron al preso volvió ante el capitán.

—¿Qué pongo en el parte? —preguntó.

—Era beisbolista, así que inventate cualquier
babosada: que estaba jugando con los otros presos, que
estaba de *centerfielder*, que le llegó un batazo contra el

muro, que aprovechó para subirse al almendro, que se saltó la tapia, que corriendo en el solar del rastro lo tiramos.

San José, Costa Rica. 1967

Charles Atlas también muere

Charles Atlas swear that sand story is true.
Edwin Pope,
Sports Editor.
The Miami Herald

Bien recuerdo al capitán Hatfield USMC el día que llegó al muelle de Bluefields para despedirme, cuando tomé el vapor a New York; me ofreció consejos y me prestó su abrigo de casimir inglés porque estaría haciendo frío allá, me dijo. Fue conmigo hasta la pasarela y ya en el lanchón yo, me dio un largo apretón de manos. Cuando navegábamos al encuentro del barco que estaba casi en alta mar, lo vi por última vez despidiéndome con su gorra de lona, su figura flaca y arqueada, sus botas de campaña y su traje de fatiga. Digo efectivamente que lo vi por última vez, pues a los tres días lo mataron en un asalto de los sandinistas a Puerto Cabezas, donde estaba como jefe de la guarnición.

El capitán Hatfield USMC fue un gran amigo: me enseñó a hablar inglés con sus discos *Cortina* que ponía todas las noche allá en el cuartel de San Fernando, utilizando una vitrola de manubrio; por él conocí también los cigarrillos americanos; pero le recuerdo sobre todo por una cosa: porque me inscribió

Sergio Ramírez

23

en los cursos por correspondencia de Charles Atlas y porque me envió luego a New York para verlo en persona.

Al capitán Hatfield USMC lo conocí precisamente en San Fernando, un pueblo en las montañas de las Segovias, donde yo era telegrafista, allá por el año de 1926; él llegó al mando de la primera patrulla de marinos, con el encargo de hacer que Sandino bajara del cerro del Chipote, donde estaba enmontañado con su gente; yo transmití sus mensajes a Sandino y también recibí las respuestas. Creo que nuestra íntima amistad comenzó el día que me presentó una lista de los vecinos de San Fernando en la que marqué a todos los que me parecían sospechosos de colaborar con los alzados, o que tuvieran parientes en la montaña; al día siguiente los llevaron presos, amarrados de dos en dos y a pie hasta Ocotal, donde los americanos tenían su cuartel de zona. Por la noche, para mostrarme su agradecimiento, me obsequió un paquete de cigarrillos Camel que no se conocían en Nicaragua y una revista con fotos de muchachas semidesnudas. En una de esas revistas fue que vi el anuncio que cambió mi vida, convirtiéndome en un hombre nuevo, pues yo era un alfeñique:

EL ALFEÑIQUE DE 44 KILOS
QUE SE CONVIRTIÓ EN EL HOMBRE MÁS
PERFECTAMENTE DESARROLLADO DEL MUNDO

Desde muy niño había sufrido por el hecho de ser un pobre enclenque. Recuerdo que una vez paseando por la plaza de San Fernando con mi novia después de misa —tenía yo 15 años— dos tipos grandes y fuertes pasaron junto a nosotros y me miraron con burla; uno de ellos se regresó y con el pie me lanzó arena a los ojos. Ethel, mi novia, me preguntó: ¿Por qué dejaste que hicieran eso? Yo sólo pude responderle: En primer lugar, es un jodido muy grande. En segundo lugar ¿no ves que me dejó ciego con la arena?

Le pedí al capitán Hatfield USMC ayuda para tomar cursos que anunciaba la revista y él escribió por mí a la dirección de Charles Atlas en New York: *115 East, 23rd Street,* pidiendo el prospecto ilustrado. Casi un año después —San Fernando está en media montaña y allí se libraba la parte más dura de la guerra— recibí un sobre de papel amarillo con varios folletos y una carta firmada por el mismo Charles Atlas: el curso completo de tensión dinámica, la maravilla en ejercicios físicos; sólo dígame en qué parte del cuerpo quiere Ud. músculos de acero. ¿Es Ud. grueso y flojo? ¿Delgado y débil? ¿Se fatiga Ud. pronto y no tiene energías? ¿Se queda Ud. rezagado y permite que otros se lleven a las muchachas más bonitas, los mejores empleos, etc.? ¡Sólo deme 7 días! Y le probaré que puedo hacer de Ud. un verdadero hombre, saludable, lleno de confianza en sí mismo y en su fuerza.

Mr. Atlas también anunciaba en su carta que el curso costaba USD 30.00 en total, cantidad de la que no disponía, ni podría disponer en mucho tiempo; así que recurrí al capitán Hatfield USMC quien me presentó otra lista de vecinos, en la que yo marqué casi todos los nombres. De esta manera el dinero se fue a su destino y otro año más tarde, el curso completo venía de vuelta, 14 lecciones con 42 ejercicios. El capitán Hatfield USMC comenzó asesorándome. Los ejercicios tomaban sólo 15 minutos al día: la tensión dinámica es un sistema completamente natural. No requiere aparatos mecánicos que puedan lesionar su corazón u otros órganos vitales. No necesita píldoras,

Sergio Ramírez

alimentación especial u otros artefactos. ¡Sólo unos minutos al día de sus ratos de ocio son suficientes, en realidad, una diversión!

Pero como mis ratos de ocio eran bastante amplios, me dediqué con empeño y entusiasmo a los ejercicios, no quince minutos, sino tres horas diarias durante el día; por la noche estudiaba inglés con el capitán Hatfield USMC. Al cabo de un mes el progreso era asombroso; mis espaldas se ensancharon, mi cintura se redujo, se afianzaron mis piernas. Hacía apenas cuatro años que el grandulón había lanzado arena a mis ojos y yo ya me sentía otro. Un día Ethel me señaló en una revista la foto de una estatua del dios mitológico Atlas; mirá, me dijo, si es igualito a vos. Entonces supe que iba por el camino correcto y que alcanzaría mis ambiciones. Cuatro meses después ya había avanzado suficiente en inglés para escribir una carta a Mr. Atlas y decirle gracias, todo es O.K. Ya era un hombre nuevo, con bíceps de acero y capaz de una hazaña como la que realicé en Managua, la capital, el día que el capitán Hatfield USMC me llevó allá para que diera una demostración de mi fuerza: jalé por un trecho de doscientos metros un vagón del ferrocarril del pacífico cargado de coristas, vestido solamente con una calzoneta de piel de tigre. Allí estaban presenciando el acto el propio presidente Moncada, el ministro americano Mr. Hanna y el comandante de los marinos en Nicaragua coronel Friedmann USMC.

Esta proeza que fue comentada en los periódicos, me valió seguramente que el capitán Hatfield USMC pudiera gestionar con mayor libertad la petición que yo le había hecho cuando salimos de San Fernando: un viaje a los Estados Unidos para conocer en persona a Charles Atlas. Sus superiores en Managua hicieron la solicitud formal a Washington, que tardó poco más de un año en ser aprobada. En los diarios de la época, más precisamente en "La Noticia"del 18 de septiembre de 1931, aparecí retratado junto con el agregado cultural de la embajada americana, un tal Míster Fox; creo que fue el primer viaje de intercambio cultural que se hizo, de los muchos que han seguido después. "Para una gira por centros de cultura física en los Estados y para entrevistarse con renombrados personajes del atletismo", decía la nota al pie de la foto.

Así que tras una tranquila travesía y una escala en el puerto de Veracruz, seguimos a New York adonde llegamos el 23 de noviembre de 1931. Cuando el barco atracó en el muelle, debo confesar que me sentí desolado, a pesar de las prevenciones que me había hecho el capitán Hatfield USMC. A través de lecturas, fotografías, mapas yo llevaba una imagen perfecta de New York, perfecta pero estática; fue la sensación de movimiento, de cosas vivas y de cosas muertas lo que me sacó de la realidad, empujándome hacia una fantasía sin fin, de mundo imposible y lacerante, trenes invisibles, un cielo ensombrecido por infinidad de chimeneas, un olor a alquitrán, a aguas negras, sirenas distantes y dolorosas, la niebla espesa y un rumor desde el fondo de la tierra.

Me recibió un oficial del Departamento de Estado que amablemente se hizo cargo de los trámites de migración y me condujo al hotel, un enorme edificio de ladrillo en la calle 43 —Hotel Lexington, para más señas—. El oficial me dijo que mi visita a Mr. Atlas sería al día siguiente por la mañana, todo estaba ya arreglado; me recogerían en el hotel para llevarme a las oficinas de Charles Atlas Inc. donde me darían las explicaciones necesarias. Nos despedimos allí mismo, pues él debía regresar a Washington esa noche.

Hace frío en New York y me retiré temprano, lleno de una gran emoción, como podrá comprenderse: había llegado al fin de mi viaje y pronto mis anhelos se verían satisfechos. Miré afuera y entre la niebla brillaban infinidad de luces, ventanas encendidas en los rascacielos. En alguna parte, me dije, en alguna de esas ventanas, está Charles Atlas; lee o cena, o duerme, o habla con alguien. Practica tal vez sus ejercicios nocturnos, los 23 y 24 del manual (tensión de cuello y tensión de muñeca). Sonríe quizá, sus sienes canosas, su rostro fresco y alegre, o estará ocupado en responder a las miles de cartas que recibe a diario, en despachar las bolsas con las lecciones, en fin. Pero reparé en una cosa: no podía imaginar a Charles Atlas vestido. Venía siempre a mi imaginación en calzoneta, sus músculos en tensión, me era imposible verle en traje de calle, o de sombrero. Fui a la valija y extraje la fotografía que me había enviado dedicada al final del curso: las manos detrás de la cabeza, el cuerpo ligeramente arqueado, los músculos pectorales elevados sin esfuerzo, las piernas juntas, un hombro más alto que el otro. Vestir ese cuerpo en la imaginación era difícil; y me dormí con la idea vagando en la cabeza.

A las cinco de la mañana estaba ya despierto. Realicé los ejercicios 1 y 2 (era emocionante practicarlos por primera vez en New York) e imaginé que a la misma hora Charles Atlas estaría haciendo los suyos. Luego tomé mi ducha y me vestí despacio tratando de consumir tiempo, y a las siete bajé al *lobby* del hotel, a esperar que pasaran por mí tal como se me había indicado. Aunque Charles Atlas no lo recomendaba exactamente, yo no acostumbraba desayunar.

A las nueve se presentó el empleado de Charles Atlas Inc. Afuera esperaba una limusina negra, con molduras doradas en los marcos de las ventanas, los vidrios cubiertos por cortinas grises de terciopelo. Ni el empleado habló conmigo una sola palabra durante el trayecto, ni el chofer volvió el rostro una sola vez hacia atrás. Durante media hora anduvimos por calles con los mismos edificios de ladrillo, sucesiones de ventanas y el ambiente siempre opaco, como de lluvia, entre las hileras de rascacielos. Al fin, el automóvil negro se estacionó frente al ansiado número 115 de la calle 23 en el *East Side*. Era una calle triste, de bodegas y almacenes de mayoreo; al otro lado de Charles Atlas Inc. recuerdo que había una fábrica de paraguas, y una alameda de árboles polvosos y casi secos atravesaba la calle. Las ventanas de los edificios tenían en lugar de vidrios, tableros de madera claveteados en los marcos.

Para llegar a la puerta principal de Charles Atlas Inc. subimos unos escalones de piedra, que remataban en una pequeña terraza; allí estaba, de tamaño natural, una estatua del dios mitológico Atlas, cargando el globo terráqueo. *"Mens sana in corpore sano"* decía la inscripción al pie. Pasamos por la puerta giratoria con sus batientes de vidrio esmerilado montadas en unos marcos barnizados de negro, que chirriaban al moverse. En las paredes del vestíbulo estaban colgadas reproducciones gigantescas de todas las fotos de Charles Atlas que yo había visto y que reconocía con agrado, una por una; allí en medio, la que más me gustaba; con un arnés al cuello tirando de diez automóviles mientras caía una lluvia de confeti. Maravilloso.

Entonces me hicieron pasar a la oficina de Mr. William Rideout Jr., gerente general de Charles Atlas Inc.

En pocos momentos tuve junto a mí a un hombre de mediana edad y de facciones huesudas, con los ojos profundamente hundidos en las cuencas terrosas. Me extendió su mano pálida y cubierta por un enjambre de venas azulosas y tomó asiento tras el pequeño escritorio cuadrado, sin un solo adorno, encendiendo después una lámpara de sombra que tenía tras de sí, aunque a decir verdad tal cosa no era necesaria, pues por la ventana entraba suficiente luz.

Las oficinas eran más bien pobres. En el escritorio estaban apilados muchísimos sobres iguales a los que yo había recibido la primera vez. Una gran foto de Charles Atlas, mostrando los músculos pectorales con orgullo (confieso que esa no la conocía), dominaba la pared frente a mí. Mr. Rideout Jr. me pidió que me sentara y comenzó a hablar sin mirarme, con la vista fija en un pisapapeles y las manos entrelazadas frente a él, en su rostro la clara evidencia de que hacía un gran esfuerzo al hablar. Yo escuchaba sus palabras dichas en un mismo tono y no fue sino hasta que hizo una pausa y sacó su pañuelo para limpiar la saliva de las comisuras de sus labios, que reparé en algo que mi nerviosismo me había impedido: su esfuerzo con las manos, y la posición de su cabeza, no era otra cosa que el ejercicio número 18 de tensión dinámica. Confieso que la emoción casi me llevó hasta las lágrimas.

—Le saludo muy cordialmente —había dicho Mr. Rideout Jr.— y le deseo muy feliz estadía en la ciudad de New York; lamento no poder expresarme en correcto español como hubiera sido mi deseo, pero sólo hablo un poquito (esta palabra la dijo en español, midiéndola con un gesto mínimo de los dedos pulgar e índice de su mano derecha, riendo por esa única vez estrepitosamente, como si hubiera dicho una cosa muy graciosa).

Mr. Rideout Jr. me miró luego con una beatífica sonrisa de condescendencia, mientras enderezaba el nudo de lazo de su cuello.

—Soy el gerente general de Charles Atlas Inc. y es un gran gusto para mi firma recibirle en su calidad de invitado oficial del Departamento de Estado de los Estados Unidos. Haremos lo posible porque su estadía entre nosotros sea grata.

Mr. Rideout Jr. aplicó de nuevo el pañuelo a sus labios y continuó el discurso, esta vez con una tirada más larga que me dio la oportunidad de apreciar cómo la vieja señorita que me había introducido, manipulaba las persianas de la ventana que daba a la calle, cambiando así el tono claro de la luz en uno ocre que me hizo trastornar por instantes la visión de la habitación, ofreciéndome la apariencia de nuevos objetos, o como si en las fotografías desplegadas en las paredes, Charles Atlas hubiese cambiado de poses.

—Aprecio mucho que Ud. haya viajado desde tan lejos para conocer a Charles Atlas y debo confesarle que es el primer caso que se nos presenta en toda la historia de la firma —siguió Mr. Rideout Jr.—. Como toda corporación comercial, nosotros conservamos en la privacidad asuntos que de trascender públicamente, dañarían nuestros intereses. De modo que debo pedirle absoluta reserva, bajo su juramento, de lo que voy a decirle.

Mr. Rideout Jr., ya sin tensión alguna y hablando plácidamente, me repitió varias veces la misma advertencia; yo sólo tragaba saliva y asentía con la cabeza.

—Jure en alta voz —me dijo.

—Sí juro —le contesté al fin.

Aunque estábamos solos en la habitación y sólo se oía el ruido sostenido del aparato de calefacción, Mr. Rideout Jr. miró a todos lados antes de hablar.

—Charles Atlas no existe —me susurró adelantando hacia mí el cuerpo por sobre el escritorio. Después se acomodó de nuevo en su silla y me miró fijamente, con expresión sumamente solemne—. Sé que es un golpe duro para Ud., pero es la verdad. Inventamos este producto en el siglo pasado y Charles Atlas es una marca de fábrica como cualquier otra, como el hombre del bacalao en la caja de emulsión de Scott; como el rostro afeitado de las cuchillas Gillete. Es lo que vendemos, eso es todo.

En las largas sesiones sostenidas allá en San Fernando, después de la lección de inglés, el capitán Hatfield usmc me había prevenido repetidas veces contra este tipo de situaciones: nunca dejes la guardia abierta, sé como los boxeadores, no te dejes sorprender. Exige. No te dejes engañar.

—Bueno —le dije poniéndome de pie—, desearía informar esta circunstancia a Washington D.C.

—¿Cómo? — exclamó Mr. Rideout Jr. incorporándose también.

—Sí, informar a Washington D.C. de este contratiempo (Washington es una palabra mágica, me aleccionaba el capitán Hatfield usmc; úsala en un apuro, y si acaso no te sirve, echa mano de la otra que sí es infalible: Departamento de Estado).

—Le ruego creer que estoy diciéndole la verdad— me dijo Mr. Rideout Jr., pero ya sin convicción.

—Deseo telegrafiar al Departamento de Estado.

—No estoy mintiéndole... —me dijo mientras se retiraba sin darme la espalda y abría una puerta muy estrecha que cerró tras él. Yo me quedé completamente solo en la habitación ahora en penumbra; de acuerdo con el capitán Hatfield USMC, la trepidación que sentía bajo mis pies era ocasionada por el tren subterráneo.

—Mr. Rideout Jr. volvió a entrar, ya al atardecer. Martilla, sigue martillando, oía yo en mis adentros al capitán Hatfield USMC.

—Nunca podré creer que Charles Atlas no exista —le dije sin darle tiempo de nada. Él se sentó abatido en su escritorio.

—Está bien, está bien —repitió, haciendo una señal despectiva con la mano—. La compañía ha accedido a que Ud. se entreviste con Mr. Atlas.

Yo sonreí y le di las gracias con una deferente inclinación de cabeza: sé amable, cortés, cuando sepas que ya has vencido, me decía el capitán Hatfield USMC.

—Eso sí: deberá atenerse estrictamente a las condiciones que voy a comunicarle; el Departamento de Estado fue consultado y ha dado el visto bueno al documento que Ud. firmará. Después de ver a Mr. Atlas Ud. se compromete a abandonar el país, para lo cual se le ha reservado pasaje en el vapor *Vermont* que parte a media noche; deberá además abstenerse de comentar en público o privado su visita, o de referir a nadie cualquiera de las circunstancias de la misma, o sus impresiones personales. Sólo bajo estos requisitos es que el consejo directivo de la firma ha dado su autorización.

La vieja señorita entró de nuevo y entregó a Mr. Rideout Jr. un papel. Él lo puso frente a mí.

—Bien, firme —me dijo con voz autoritaria.

Yo firmé sin replicar, en el lugar que su dedo me señalaba. Cuando tengas lo que quieras, firma cualquier cosa menos tu sentencia de muerte: capitán Hatfield USMC.

Mr. Rideout Jr. tomó el documento, lo dobló con cuidado y lo puso en la gaveta central del escritorio. Antes de que él concluyera esta operación, sentí que me tomabas por debajo de los brazos y al alzar la vista me encontré con dos tipos vestidos de negro, altos y musculosos, exactos en sus cabezas rapadas y en sus ceños. No había duda de que sus cuerpos habían sido formados también en las disciplinas de la tensión dinámica.

—Ellos le acompañarán. Siga al pie de la letra sus instrucciones. —Y Mr. Rideout Jr. volvió a desaparecer por la estrecha puerta, sin extenderme la mano para despedirse de mí.

Los dos hombres, sin soltarme una sola vez, me condujeron por un pasillo, a través del cual caminamos muy largo rato hasta llegar a unos escalones de madera; me ordenaron bajar de primero y al alcanzar el último escalón la oscuridad era total; sentí el roce del cuerpo de uno de ellos, que se adelantaba para tocar a una puerta que estaba frente a nosotros. Otro hombre igual a los anteriores, abrió desde el otro lado y nos encontramos en una especie de pequeño muelle de cemento, pero envueltos como estábamos en la neblina no podría precisar el sitio pero sí que era la ribera de un río, pues pronto me condujeron hasta un remolcador, en el que navegamos con una lentitud pasmosa. El remolcador llevaba basura y hasta nosotros, que íbamos acomodados en la proa, llegaba el fétido olor.

Era de noche cuando bajamos del remolcador y por un callejón donde se apilaban altos rimeros de cajas conteniendo botellas vacías, seguimos caminando; atravesamos por entre círculos de niños negros que jugaban canicas a la luz de faroles de gas adosados en lo alto de las puertas y por fin desembocamos en una plaza de hierba seca, entre la que alguna nevada había dejado duras costras de hielo sucio; frente a nosotros se levantaba un bloque de cuatro o cinco edificios oscuros, que se nos aparecían por detrás, pues entre la sombra podía percibirse la maraña de escaleras de incendio, bajando por sus paredes. Un tráfago de vehículos lejanos y aullidos de trenes corriendo a muchas millas de distancia, venían a ratos entre el humo espeso que envolvía la noche.

Una nueva presión bajo mis brazos me indicó que debía caminar hacia un costado y así llegamos al atrio de lo que más tarde descubrí era una iglesia, un edificio negro y de una humedad salitrosa que se desprendía de los muros cargados de relieves de ángeles, flores y santos. Uno de mis acompañantes encendió un cerillo para encontrar el aldabón que debía usar para llamar y pude entonces leer en una placa de bronce el nombre de la iglesia: *Abyssinian Baptits Church*, decía. Y pronto, tras los golpes que resonaron profundos en la noche helada, la puerta fue abierta por otro guardián de la misma familia, alto, fornido y rapado.

Atravesamos la nave principal y llegamos hasta el altar mayor, siendo empujado hacia una puerta que apareció a la izquierda, me sentía triste y rendido, casi con arrepentimiento de haber provocado la situación que me había llevado hasta allí, inseguro de mi suerte, de lo que podría esperarme. Pero de nuevo la voz del capitán Hatfield USMC me animaba: una vez en el camino, querido muchacho, uno nunca debe volverse atrás.

Una anciana vestida con un blanco uniforme almidonado me recibió en la puerta y los dos hombres me soltaron al fin, para colocarse en guardia, uno a cada lado de la entrada.

Sergio Ramírez

—Tiene exactamente media hora—me dijo uno de ellos. La anciana caminó delante de mí por un pasillo pintado absolutamente de blanco; el cielo raso, las paredes, las puertas frente a las cuales pasábamos, incluso las baldosas del piso eran blancas, y las luces fluorescentes devolvían interminablemente esa luz vacía y pura.

Lenta y dificultosamente la anciana me acercó a una de las puertas al final del corredor, precisamente la que lo cerraba. La puerta de doble batiente tenía abierta una de las hojas pero estaba defendida por una mampara de armazón metálica forrada con un lienzo. La anciana había desaparecido después de indicarme con un ademán tembloroso, que debía entrar. Toqué tímidamente por tres veces pero nadie parecía escuchar esos golpes asustados, dados contra la madera que parecía haber resistido infinidad de capas de pintura, pues la superficie ampollada dejaba a la vista las viejas pasadas de esmalte.

Toqué por una vez más, con la angustia golpeándome el estómago y ya decidido a volverme si nadie respondía, cuando tras la mampara apareció una enfermera, alta y descomunal, toda ella de un blanco albino y en cuya cabeza el pelo desteñido empezaba a ralear. Me sonrió ampliamente, sin embarazo, enseñándome sus perfectos dientes de caballo.

—Pase—me dijo—. Mr. Atlas está esperando por Ud.

Dentro era la misma blancura artificial, la misma luz vacía en la que se movían infinidad de finas partículas de polvo; los objetos eran también todos blancos; había asientos, un carrito con algodones, gasas, frascos y aparatos quirúrgicos, sondas, instrumentos niquelados; las paredes estaban desprovistas de todo adorno, a excepción de un cuadro que representaba a una bella joven, blanca, desnuda sobre una mesa de operaciones, y a un anciano médico que sostenía el corazón de la doncella, acabado de extraer; escupideras en el piso y lienzos cubriendo las ventanas, que en el día filtrarían la luz como coladores.

Y al fondo de la habitación, una cama altísima, desgonzada por efecto de complicados mecanismos de manivelas y resortes, erigida sobre una especie de promontorio. Me acerqué muy respetuosamente, caminando con lentitud y a medio camino, casi desvanecido por un profundo olor a desinfectante, me detuve para retroceder y buscar una de las sillas blancas; pero con un gesto, la enfermera que había llegado ya junto a la cama, me invitó a seguir, sonriendo de nuevo.

Sobre la cama reposaba la visión estática de un cuerpo gigantesco y musculoso, la cabeza invisible entre las almohadas; cuando la mujer se inclinó para decir algo, el cuerpo hizo un movimiento penoso y se incorporó; dos de las almohadas cayeron al piso y yo hice el intento de recogerlas, pero ella me detuvo de nuevo con un gesto.

—bienvenido—dijo una voz que resonaba extrañamente, como si hablara a través de una bocina muy vieja.

A mí se me hizo un nudo en la garganta y en ese momento deseé con toda mi alma no haber insistido.

—Gracias, muchas gracias por su visita —habló de nuevo—. La aprecio mucho, créame —y resonaba ahora gorgoteando, como ahogándose en un mar de espesa saliva. Y calló, recostándose de nuevo el gran cuerpo sobre las almohadas.

Mi pena era indescriptible. Preferí mil veces haber creído la historia de que Charles Atlas era una fantasía, que jamás había existido, a tener que enfrentar la realidad de que eso era Charles Atlas. Me hablaba detrás de una máscara de gasa y en el lugar de la mandíbula pude ver que tenía atornillado un aparato metálico.

— Cáncer en la mandíbula — dijo otra vez —, ya extendido a los órganos vitales. Mi salud fue de hierro hasta los noventa y cinco años. Ahora después de los cien, esto es lo menos malo: cáncer. Nunca fumé, y de beber, tal vez un sorbo de champaña para navidad o año nuevo. Mis enfermedades no pasaron de resfríos comunes; el doctor me decía hasta hace poco que podía tener hijos, si quería. Cuando en 1843 gané el título del hombre más perfectamente formado del mundo... en Chicago... recuerdo... — dijo, pero la voz se transformó en una sucesión de lastimeros silbidos y por un largo rato calló.

— En 1843 descubrí la tensión dinámica e inicié los cursos por correspondencia, gracias a la sugerencia de una escultora que me utilizaba como modelo, Miss Ethel Whitney.

Charles Atlas levanta entonces sus enormes brazos que emergen de entre las sábanas, pone en tensión sus bíceps y lleva las manos tras la cabeza; las mantas resbalan y tengo la oportunidad de ver su torso, aún igual que en las fotos, a excepción de un poco de vello blanco. Este esfuerzo debe haberle costado mucho, porque se queja largamente por lo bajo y la enfermera lo asiste, cubriéndolo de nuevo y apretando los tornillos al aparato en su rostro.

— Cuando salí de Italia con mi madre tenía sólo 14 años — continúa —; entonces jamás imaginé que llegaría a hacer una fortuna con mis cursos; nací en

Calabria en 1827 y mi nombre era Angelo Siciliano; mi padre se había venido a New York un año antes y nosotros le seguimos. Un día un grandulón lanzó arena con el pie a mi rostro en presencia de mi novia, mientras paseábamos por Coney Island y yo...

—A mí me pasó igual, fue por eso que... —intento yo decir, pero creo que no me oye, sigue hablando sin reparar en mi presencia.

—...comencé a hacer ejercicios, mi cuerpo se desarrollaba maravillosamente; un día mi novia me señaló una estatua del dios mitológico Atlas en lo alto de un hotel y me dijo: mira, eres igual a esa estatua.

—Óigame —le digo—, esa estatua... —Pero es inútil. Su voz es como un río lodoso que aparta a su paso los obstáculos, penosamente.

—Estudié la estatua y pensé: bueno, un nombre como el mío no es muy popular aquí, hay mucho prejuicio. ¿Por qué no habré de llamarme Atlas? Y también cambié el Angelo por Charles. Después vino la gloria. Recuerdo el día que arrastré un vagón lleno de coristas, por un espacio de doscientos metros...

—Caramba —exclamo yo—, tal como... —Pero la voz, meticulosa y eterna, sigue su curso.

—¿Ha visto Ud. la estatua de Alejandro Hamilton frente al edificio del tesoro en Washington? Pues ese soy yo—Y levanta de nuevo los brazos y hace ademán de jalar algo pesado, un vagón lleno de coristas. Pero ahora su dolor debe ser mucho más profundo, pues se queja por largo rato y queda tendido en la cama, sin moverse. Después, sigue, pero yo ya quiero irme.

—Recuerdo Calabria —dice, y se agita la cama. La enfermera trata de calmarlo y va a la mesa de los instrumentos y las medicinas para preparar unas

Sergio Ramírez

gotas—. Calabria y a mi madre con el rostro enrojecido por las llamas del horno, cantando—repite después algo que no entiendo y su voz parece multiplicarse en el recinto, en una serie de ecos agónicos—. Una canción...

Yo había perdido ya la noción de todas las cosas, cuando de pronto un timbre resonando incesantemente me devolvió a mi sitio junto a la cama, el timbrazo repitiéndose por los corredores de todo el edificio, para regresar a su punto de partida en la habitación, pues veo a la enfermera accionando un cordón arriba de la cama y a Charles Atlas de espaldas en el suelo, completamente desnudo y cubierto de sangre, el aparato desprendido de su mandíbula.

Pronto la habitación se llenó de pasos y de voces, de sombras. Siento que me arrancan del sitio donde he permanecido los mismo brazos fuertes que me habían conducido a la cita, y al salir, en una confusión de imágenes y de sonidos, veo a la enfermera gritando: fue demasiado el esfuerzo, por Dios, no resistió una pose más y muchos hombres que levantan el cuerpo para depositarlo en una camilla, sacada rápidamente de la habitación.

Ahora en mi ancianidad, al escribir estas líneas, me cuesta trabajo creer que Charles Atlas no vive y no sería capaz de desilusionar a los muchachos que todos los días le escriben, solicitando informes sobre sus lecciones, atraídos por su figura colosal, su rostro sonriente y lleno de confianza, sosteniendo en sus manos un trofeo o jalando un vagón cargado de coristas, cien muchachas alegres y apiñadas saludando desde las ventanillas, con sus sombreros llenos de flores y el gentío en las aceras presenciando la escena, rostros incrédulos y una mano que levanta su sombrero hacia lo alto entre la multitud.

Dejé New York aquella noche, lleno de tristeza y de remordimientos, sabiéndome culpable de algo, por lo menos de haber llegado a saber aquella tragedia. De regreso en Nicaragua, ya terminada la guerra, muerto el capitán Hatfield USMC, me dediqué a diversos oficios: fui cirquero, levantador de pesas y guardaespaldas. Mi cuerpo ya no es el mismo. Pero gracias a la tensión dinámica, aún podría tener hijos. Si quisiera.

San José, Costa Rica. 1970

Juego perfecto

Siempre que subía tan apresurado por la boca de la gradería sólo tenía ojos para el *bull-pen,* ver si al muchacho se lo habían sacado a calentar, si al fin el *manager* se decidiría a ponerlo esa noche de abridor. Pero el bus se había descompuesto en la carretera sur y ahora venía con tanto retraso, el juego Bóer-San Fernando qué años comenzado. Desde la tiniebla del túnel impregnado de olor a orines había oído el largo pujido del *umpire* cantando un *strike, y* casi corriendo, con el portaviandas colgando de la mano, la botella bajo el brazo, emergió a la blanca claridad que parecía bajar como un vapor lechoso desde el mismo cielo estrellado.

Procuraba llegar temprano al estadio, cuando todavía el *manager* del San Fernando no había entregado el *line-up* al *umpire* principal y los *pitchers* seguían calentando en el *bull-pen.* A veces le sacaban a calentar al muchacho, y entonces se pegaba a la malla, con los dedos engarzados en el tejido de alambre para que lo viera, que ya estaba allí, que ya había llegado. El muchacho era tímido y se hacía el desentendido mientras seguía tirando silencioso y desgarbado, para volver siempre a la banca cuando comenzaba el juego. Nunca, desde el principio de la temporada cuando el San Fernando se lo firmó para la liga profesional, se lo habían sacado a abrir. Y a veces ni a calentar. Algunas noches le daba la respuesta con la cabeza desde las sombras del *dog-out*. No, esa vez tampoco.

Pero ahora que llegaba tan tarde al juego, tras otear en la verde distancia del campo iluminado, lo descubrió al instante en la lomita, flaco y medio conchudo como era, estudiando la señal del *catcher*. Y antes de que pudiera poner en el suelo el portaviandas para ajustarse mejor los anteojos, lo vio armarse y tirar.

¡*Strike!*, oyó vibrar otra vez el sostenido pujido del *umpire* en la noche calurosa. Volvió a otear, ahora llevándose las manos al ala del sombrero: era él, el muchacho estaba tirando, se lo habían sacado a abrir. Lo vio recoger con desgano la bola que le devolvía el *catcher*, limpiarse el sudor de la frente con la mano del guante. Le falta un poquito de pulimento, le falta lija, pensó orgulloso.

Recogió el portaviandas y como si temiera hacer ruido, caminó con cuidado, casi de puntillas, hasta la frontera entre los palcos del *home-plate* y la gradería de sol, lo más cerca posible del *dog-out* del San Fernando. Todavía no sabía qué estaba ocurriendo en el juego, a qué altura iba, sólo que el muchacho estaba allí, al fin en la lomita bajo la luz de las torres, mientras la noche se extendía más allá de la pizarra, más allá de las graderías.

Un batazo que ascendía inofensivo lo detuvo en su camino. El *short-stop* retrocedía unos pasos y abrió los brazos en señal de que era suyo. Lo cogió tranquilamente, tiró la bola al campo y todo el equipo corrió hacia el *dog-out*. Final de *inning*, y el muchacho se vino caminando sin prisa, la cabeza gacha.

En realidad, el estadio estaba casi vacío. No se oían aplausos ni gritos y parecía más bien un día de práctica de esos que congregan a unos cuantos curiosos, los espectadores concentrados en pequeños grupos, como si tuvieran frío.

Aún de pie, estudió la pizarra que se alzaba a lo lejos detrás de la barda abigarrada de anuncios de colores, ya en la zona donde la luz de las torres no caía directamente y se comenzaba a crear una penumbra. La pizarra era como una casa con ventanas, dos ventanas para las anotaciones de cada *inning* por donde se veían las siluetas de los empleados encargados de colocar los números. La sombra de uno de los empleados cerraba la ventana de la parte baja del cuarto *inning* con un cero:

	1	2	3	4	5	6	7	8	9	H	E
SAN FERNANDO	0	0	0	0	0					1	0
BÓER	0	0	0	0	0					0	0

A su muchacho no le habían pegado ni un *hit*, ni el cuadro le había cometido error, por lo tanto iba pitcheando perfecto. Perfecto, volvió a limpiar los anteojos en la falda de la camisa, el portaviandas otra vez en el suelo, la botella prensada bajo el brazo, empañándolos con el aliento y volviéndolos a limpiar.

Ascendió unas cuantas gradas para entrar en el grupo de espectadores más próximo, y se sentó junto a un gordo manchado de bienteveo, vendedor de quinielas. El gordo tenía a su alrededor un halo de cáscaras de maní que escupía continuamente mientras quebraba las cáscaras con los dientes y masticaba las semillas.

A su lado, en la grada, puso el portaviandas y la botella. En el portaviandas traía la cena que ella le preparaba al muchacho para que se la comiera al terminar cada juego. La botella era de café con leche.

—¿No ha habido carrera? —preguntó al grupo, para cerciorarse de que la pizarra no le mentía, volteándose penosamente. Un mal aire en el cuello, viejo de tenerlo, no le permitía girar con libertad la cabeza.

El gordo lo miró con esa segura familiaridad de los espectadores de béisbol. Todos se conocen en las graderías aunque nunca se hayan visto en la vida.

—¿Carrera? —se sorprendió el gordo como frente a una gran herejía, sin dejar de meterse los maníes en la boca—. Al flaquito ese del San Fernando no le han tocado la primera base.

—Si es un muchachito —dijo una mujer que estaba en la fila de atrás, estirando la boca con la compasión con que se habla de los niños muy tiernos. La mujer tenía dientes de oro y usaba anteojos como de culo de botella. A sus pies custodiaba una gran cartera.

Otro de los espectadores que estaba sentado más arriba se rió, complaciente, con toda su boca chintana.

—¿De dónde habrán sacado a esa quirina?

Él se esforzó en voltear otra vez la cabeza para encontrar aquella boca grosera que había llamado quirina al muchacho. Se acomodó los anteojos para mirarlo mejor, con todo su reproche. A los anteojos les faltaba una pata, y en lugar de la pata se los amarraba a la oreja con un cordón de zapatos.

—Es mi hijo —les notificó a todos, recorriendo sus caras de manera desafiante, pese a la dificultad. El chintano seguía con la misma mueca de risa pero no dijo nada. El gordo le dio unas palmaditas afectuosas en la pierna, sin dejar de escupir las cáscaras.

Cero carrera, cero *hit*, cero error. Era su hijo, estaba pitcheando al fin, y estaba pitcheando sin mácula. Se sintió seguro allí en la gradería.

Y los altavoces roncos anunciaron que era precisamente el muchacho quien salía a batear ahora que le tocaba el turno al San Fernando.

Se lo poncharon rápido. Uno de los cargabates corrió a pasarle la chaqueta para que no se le enfriara el brazo.

—Buen bateador no es— explicó sin mirar a nadie.

—No se ha inventado todavía el *pitcher* que sepa batear —contestó la mujer.

La mujer no parecía andar con su marido y extrañaba verla en el grupo de hombres. Esta mujer, que debía ya estar acostada en su cama a semejantes horas, sabe de béisbol, pensó agradecido.

Ella, por el contrario, nunca había querido coger camino de noche para acompañarlo al estadio; le alistaba al muchacho el portaviandas con su cena y se quedaba oyendo la partida aunque no le entendiera, sentada junto al radio en el taller de zapatería que les servía de comedor y de cocina.

Ahora el San Fernando se tendía en el terreno después de batear sin pena ni gloria. El juego seguía cero a cero y el muchacho regresaba a la lomita. Cierre del quinto *inning*.

—Vamos a ver cómo se porta—dijo el gordo cariñosamente—. Yo soy boerista a muerte, pero delante de un buen *pitcher* me quito el sombrero—y acto seguido se quitó la gorra amarilla con la insignia de Allys-Chalmer y la paseó alrededor de su cabeza, como en homenaje.

El cuarto bate del Bóer era el primero que salía a batear, un yankote chele, importado. Mascaba chicle, o tabaco. Debió haber sido tabaco porque la pelota le abultaba en el carrillo y escupía continuamente.

El muchacho le lanzó tres veces nada más. Tres *strikes* de filigrana, el último una curva que quebró perfecta, en la esquina de afuera del plato. El yanki ni siquiera pasó el bate una sola vez, estaba como sorprendido.

— Pasó de noche — se rió la mujer —, el chavalo está crecido.

Después hubo un roletazo al cuadro, fácil. Por último un globito a las manos del tercera base. Estaban los tres *outs* en un abrir de ojos.

— Vaya, pues — exclamó el chintano — tiene caña esta quirina — Era como para que lo oyera todo el estadio, si el estadio hubiera estado lleno de gente. Pero más allá sólo se extendían las graderías vacías, y en los palcos, unas cuantas chispas de cigarrillo entre las ristras de sillas metálicas, debajo de las cabinas iluminadas de los narradores de radio.

Él ya no se molestó en voltear a ver al chabacano. Quince *outs* colgados. ¿Estaría ella pegada al radio allá en el taller? Algo estaría entendiendo, el nombre del muchacho ya lo habría oído.

Salió el San Fernando otra vez a batear, apertura del sexto *inning*. Un hombre llegó a primera con un toque sorpresivo y el *catcher*, que era el quinto bate, pegó un doble. Con un *corring* tremendo el embasado de primera llegó a *home*. Y aquello fue todo; el *inning* cayó con una carrera anotada.

— Bueno — dijo el gordo boerista con cierta tristeza —, ahora su muchacho entra con una carrera de ventaja.

Era la primera vez que le decían "su muchacho". Y su muchacho se alejaba otra vez hacia la lomita, encorvado, frágil, la cara afilada bajo la sombra de la visera de la gorra. Un niño, había comentado antes la mujer.

—En junio me cumple los dieciocho años—le confió al gordo.

Pero el gordo se estaba levantando entusiasmado porque de entrada sonaba un batazo largo, por el *centerfield*. Él se consternó cuando vio la bola alejarse hacia semejantes profundidades, pero allá, junto a la cerca esmaltada con sus letras brillantes que parecía recién humedecida de lluvia, el *centerfielder* fue retrocediendo hasta agarrar el batazo. Se oyó el crujido de la cerca cuando chocó con ella.

El gordo volvió a sentarse, desilusionado.

—Buen cachimbazo—dijo nada más.

Después hubo un roletazo largo, por la tercera. El hombre de tercera recogió detrás de la almohadilla, engarzó bien y tiró con todo el brazo. *Out* en primera.

—Le está jugando bonito el cuadro a su muchacho —dijo la mujer.

—¿Y usted con quién va ahora, doña Teresa? —le preguntó el gordo, un tanto ofendido.

—Yo nunca voy con nadie, yo sólo vengo a apostar, pero hoy no hay con quién—contestó ella, tranquila.

Ella llegaba con reales en la cartera, a apostar por todo: bola o *strike*, se embasa o no se embasa, carrera o no hay carrera. Y el gordo a vender sus quinielas en los sobrecitos.

Ahora el tercer hombre al bate producía un machucón frente al *plate*, que el *catcher* recogía rápidamente para matar en primera. El bateador ni siquiera se molestó en correr, lo que ofendió al gordo.

Sergio Ramírez

—¿Y a este huevón para qué le pagan? ¡Huevón! —gritó, haciendo bocina con las manos.

Desde la lejanía de las graderías desiertas alguien se acercaba con un radio al oído. Un pequeño transmisor celeste, de plástico, El gordo llamó al dueño del radio por su nombre, para que se acercara.

—¿Qué está diciendo, Sucre? —le preguntó.

—Que aquí puede haber juego perfecto.

El dueño del radio hablaba con la entonación de Sucre Frech.

—¿Eso dice? —preguntó él, enronquecido por la emoción. Se amarró mejor a la oreja el cordón de zapatos de los anteojos, como sí necesitara ver bien lo que le estaban contando.

—Subile el volumen —pidió el gordo. El dueño del radio lo puso sobre la grada y le subió el volumen. El gordo hizo el ademán de tirarse a la boca un maní invisible, y masticó: los que se quedaron tranquilos en su casa esta noche están despreciando este regalo de la suerte, la posibilidad de ver pitchear por primera vez en la historia patria un juego perfecto. No saben de lo que se están perdiendo.

Y la apertura del séptimo *inning,* el *inning* de la suerte. El San Fernando al bate: un hombre recibió una base por bolas, pero no logró pasar de primera, lo agarraron movido; después un *hit* más, pero no hubo nada, una línea de aire a las manos del *pitcher,* un ponchado, el juego iba rápido.

Otra vez el Bóer iba a batear y en el *lucky-seven,* al muchacho le tocaba enfrentar la batería gruesa, una carga pesada aquí en el cierre del séptimo *inning,* el *inning* de las cábalas, las sorpresas y los sustos. A temblar todo el mundo.

Él estaba temblando, como si le fuera a entrar fiebre, a pesar del calor. Miró penosamente hacia atrás para ver qué cara estaba poniendo el chintano. Pero el chintano se había quedado abstraído y silencioso, pegado al radio azul. El viento tibio parecía alejar la voz de Sucre Frech, sumergida en la estática.

El pujido del *umpire* era real, se podía tocar.

¡Strike three! El muchacho se había ponchado al primero.

—Lo que esta quirina está tirando son pedradas —musitó el chintano como rezando, las manos pegadas a la barbilla.

Vio levantarse serenísima la bola en la blanca claridad, un globo que pegado a la raya viene buscando el *leftfielder:* se coloca lentamente, espera, ¡captura la bola! Para el segundo *out* del *inning.*

La mujer se golpeó entusiasmadamente las rodillas.

—¡Eso, eso! —dijo—. En sus anteojos de culo de botella el mundo parecía al revés.

El gordo masticaba aire en silencio.

Bola alta, la primera. El chintano se paró como para desentumirse, pero era pura muina. *Foul,* hacia atrás. Primer *strike.*

Uno y uno la cuenta para el bateador. *Foul,* de machucón. Lo pone en dos y una.

Y el muchacho calmo, silencioso, los *outfielders* jugando a media distancia, inmóviles. Un camión pasando lejano hacia la carretera sur.

Foul, hacia atrás, tres foules seguidos. El hombre no quería rendirse.

¡Strike!

La bola pasó como un bólido por el centro del *plate,* el bateador ni siquiera la vio y se quedó con la carabina al hombro. ¡Final del séptimo *inning!*

Y se oyeron aplausos desperdigados, como hojas secas. Los aplausos tardaban en llegar a sus

Sergio Ramírez

53

oídos en aquellas soledades. Y antes de poder girar la cabeza se rió. Sabía que todos los del grupo, el chintano, incluso el gordo, estaban contentos.

—Esto es grande, aunque me duela —dijo el gordo con gravedad.

Ahora Sucre Frech estaba hablando de Don Larsen, que hacía sólo dos años había pitcheado en una Serie Mundial el único juego perfecto en la historia de las Grandes Ligas, la hazaña a la cual este *pitcher* desconocido de Nicaragua parece acercarse ahora paso a paso, lanzamiento por lanzamiento.

Estaban comparando con Don Larsen al muchacho que había regresado al *dog-out* para sentarse tranquilo en el extremo de la banca, callado allí en su rincón, como si nada. Sus compañeros de equipo hablando de otras cosas como si nada, el *manager* como si nada. Managua en la oscuridad, dormida, como si nada. Y él mismo allí como si nada, ni siquiera se había acercado a la malla como siempre, para dejarse ver, que supiera que ya estaba allí.

Un muchacho desconocido y novato, que me dicen es de Masatepe, ha firmado este mismo año por el San Fernando. Su primera experiencia de abridor en la liga profesional, su primera oportunidad, y aquí está: lanzando un juego perfecto. ¡Quién lo iba a decir!

—Juego perfecto significa la gloria —asintió el gordo, que estaba poniendo atención religiosa al radio.

—Ese es asunto de pasar ya a las grandes ligas. Ya, mañana mismo, y agarrar la marmaja—afirmó la mujer, haciendo un gesto como de enseñar los billetes.

Él se sintió emocionado y envalentonado. Burlón, miró casi de reojo al chintano: "aquí está tu quirina", quería decirle. Pero el chintano, lejos de querer desafiarlo, meneó la cabeza con respeto.

Los altavoces repitieron dos veces el nombre del primer bateador del San Fernando. Llegó a primera con un *infield hit* y el siguiente bateó para *doble-play*, un roletazo al *short*. Al muchacho que cerraba la tanda se lo volvieron a ponchar, y cayó el *inning*.

—¡Apúrense que quiero ver pitchear a la quirina! —gritó el chintano cuando el Bóer salía del terreno, pero a nadie le cayó en gracia, el gordo lo calló: ¡ssshhh!

Y allí se apagaban otra vez las luces rojas de los *strikes* y de los *outs* en la pizarra lejana, y ahora al cierre del octavo. Todo mundo, a amarrarse los cinturones.

El muchacho volvió a la lomita. Allí estaba ya otra vez, sudoroso, estudiando la señal del *catcher*. Todo lo que le había sacado al brazo esa noche no era juguete, haciendo historia con el brazo. ¿Se estarían dando cuenta en Masatepe? ¿Estaría la gente despierta en el barrio? La noticia ya debía haber corrido a esas horas, estarían abriendo las puertas, encendiendo las luces, congregándose en las esquinas, porque el hijo del pueblo estaba pitcheando un juego perfecto.

¡*Strike*, tirándole al primero!

Otra vez el yanqui, cuarto bate del Bóer, plantado frente al plato blandía el bate con rabia, la pelota de tabaco tenso en el cachete.

Antes de que se diera cuenta, el muchacho le atravesó el segundo *strike*.

No trajo bolas malas el chavalo, las dejó todas en su casa. Allí va otro lanzamiento de humo: ¡*strike*, le cantan el tercero! ¡Se ha ponchado!

El yanqui tiró el bate furioso, tan duro que fue a rebotar cerca del *dog-out* del Bóer. El chintano lo silbó, llevándose los dedos a la boca.

—¿Se da cuenta, amigo?—le tocó el brazo el gordo de las quinielas—. Cinco *outs* más, y usted también pasa a la inmortalidad, por ser su padre.

Sucre Frech estaba hablando ahora de la inmortalidad en el radito celeste que vibraba sobre la dura gradería de cemento, de los grandes inmortales del deporte rey, Managua entera debería estar ya aquí para presenciar la entrada de un muchacho humilde y desconocido en la inmortalidad. Y él asentía, aterido, todo Managua debería estar ya aquí a estas horas, la gente entrando apresurada por los túneles, emergiendo apiñada en las bocas de las graderías, repletando los palcos, en pijamas, en chinelas, en camisola, levantándose de sus camas, cogiendo taxis, viniéndose a pie a ver la gran hazaña, la hazaña única: línea dura, durísima, entre *center* y *left*.

Desde la nada el *leftfielder* apareció corriendo hacia adelante y extendiendo el brazo en la carrera engarzó como por magia la bola, que ahora devolvía tranquilamente al cuadro. ¡Segundo *out* del *ínning*!

Él se había querido poner de pie, pero no pudo. La mujer vio la jugada entre los dedos, cubriéndose los ojos con las manos.

El chintano le tocó el hombro.

—En cuanto acabe este *inning* lo quieren entrevistar de Radio Mundial. Sucre Frech, en persona —le dijo, y chifló sin sacar ningún sonido de su boca desdentada.

—¿Y cómo saben que él es el papá? —preguntó el gordo.

—Yo les fui a decir —contestó el chintano, la boca llena con su risa odiosa: roletazo por primera, entra el hombre de primera, captura, va a asistir el *pitcher*. ¡Un *out* fácil! ¡*Out* en primera!

—¡Vamos todos!—ordenó el gordo.

El grupo entero se puso de pie. El gordo encabezaba la procesión que se dirigió hacia los palcos, para que él hablara desde la cabina de Radio Mundial. Subieron por entre las silletas vacías y desde la ventana de la cabina Sucre Frech le alcanzó el micrófono.

Cogió el micrófono con miedo. El chintano empujaba para acercarse, la mujer pelaba los dientes de oro con su cartera de los reales colgada del brazo, como si fueran a retratarla. El gordo ponía oído, circunspecto.

—Déle sin miedo, viejito —lo animó el chintano por lo bajo.

Ahora ya no se acuerda de las palabras que dijo, pero mandó un saludo a toda la fanaticada nacional, y en especial a la de Masatepe, a su señora esposa y madre del *pitcher*, a todo el barrio de Veracruz.

—Yo lo hice como *pitcher*, hubiera querido haber continuado, desde la edad de trece años le empecé a cultivar el brazo, a los quince abrió su primer juego con el "*General Moncada*", todos los días yo mismo lo llevaba por delante en la bicicleta a su práctica, yo le cosí su primer guante en la zapatería, los *spikes* que anda ahora puestos son hechos míos.

Pero ya le quitaban el micrófono porque Sucre Frech tenía que empezar a narrar, apertura del noveno *inning* y el San Fernando en su último turno al bate, el juego una a cero. De lo que se están perdiendo los que no vinieron.

Y otra vez se fue en cero el San Fernando, en lo que volvieron a sus lugares en la gradería ya había un *out*, y los otros *outs* vinieron sin sorpresas. Y todo mundo lo que quería era entrar a la hora de la verdad, la última bateada del Bóer, el último desafío para el muchacho que tanto se había agigantado a lo largo de la jornada:

	1 2 3 4 5 6 7 8 9 H E
SAN FERNANDO	0 0 0 0 0 1 0 0 0
BÓER	0 0 0 0 0 0 0 0 0

Todo era cosa de un cero más en la pizarra, cerrar la última ventana abierta por la que se asomaba la cabeza distante del encargado. Ya ni pondrían la tabla, nunca la colocaban al final del juego.

Y cuando el muchacho partió hacia el centro del diamante, todos se quedaron en silencio respetuoso como despidiéndolo para un largo viaje. Desde la gradería lo vio voltear la cabeza un instante hacia él, quería cerciorarse quizás de que estaba allí, que no había dejado de llegar esa noche. "¿Es que lo he dejado solo?", empezó a reprocharse.

—¿Verdad, amigo, que es mejor que no me le haya acercado? —le preguntó de manera muy queda al gordo.

—Sí —sentenció el gordo—, será cuando acabe el juego perfecto que vamos a ir todos a abrazarlo.

Bola, alta, la primera.

El *catcher* tuvo que recibir de pie el lanzamiento. Comienzo del noveno *inning,* una bola, cero *strikes.*

—Yo no me atrevo ni a ver —dijo la mujer y se cubrió la cara con la cartera de los reales.

El negro que estaba bateando era cubano de los Sugar Kings, ya el muchacho se lo había ponchado una vez. Requeneto y musculoso, el uniforme le quedaba tilinte. Con impaciencia se daba con el bate en las suelas.

—Este negro se ve con ganas de romperle las costuras a la bola—proclamó el chintano.

El segundo lanzamiento pasó alto también. El *umpire* se volteó hacia un lado para marcar la bola, sin ningún aspaviento.

Dos bolas, cero *strikes.*

—No te me vayas a descontrolar a estas horas de la noche, papito lindo—volvió a hablar para todas las tribunas el chintano.

—Bola mala, la tercera—cantó Sucre Frech desde el radio con gran alarma.

—¿Qué ha pasado?—preguntó la mujer sin dar la cara.

—¡Qué barbaridad!—se lamentó el gordo, y lo miró a él, con lástima sincera. Él sólo sentía que el sudor le mojaba copiosamente la badana del sombrero.

El *catcher* pidió tiempo y fue trotando hasta la lomita a conferenciar con el muchacho. Escuchó muy atento lo que el *catcher* le decía, al mismo tiempo que rebotaba la bola contra el guante.

La conferencia en la lomita ya terminaba, el *catcher* se colocaba de nuevo la máscara y el bateador volvía al *plate.* El próximo lanzamiento una bola y el negro del uniforme tilinte tiraría burlón el bate para trotar hacia la primera base, contento de la desgracia ajena.

—¡Strike!—se oyó cantar en el gran silencio al *umpire*, el brazo en una manigueta violenta. Cuando el eco del pujido se apagó, parecía oírse el chisporrotear de los focos desde la altura de las torres.

—El automático—dijo el chintano.

—La cuenta es de tres bolas, un *strike*. No hay *out.* —Sucre Frech no dijo más. Por el radio sólo entraban ráfagas de estática.

Acurrucado y con los brazos pegados a las rodillas, se sentía como indefenso. Pero su ilusión lo hacía deshacerse en el mismo vapor iluminado que descendía de las torres, del cielo estrellado mismo. Era una ilusión que le dolía.

— ¡*Strike!* —volvió a cantar el juez.

—Ese *strike* lo oyeron en todo Managua—se sonrió afable el gordo.

El negro le había tirado a la bola con toda el alma y después de girar en redondo quedó trastabillando, desbalanceado.

—Si llega a agarrar esa bola, no la vemos nunca más —dijo el chintano, que seguía predicando en el desierto.

Tres bolas, dos *strikes*. Los que padecen del corazón, mejor apaguen sus receptores y averigüen mañana en el periódico qué es lo que pasó aquí esta noche.

El muchacho cazó con desgano la bola que le devolvía el *catcher;* una bola nueva. La observó en su mano, como interrogándola.

La mujer seguía preguntando qué pasaba, oculta tras la cartera.

—Qué jodés —la regañó el gordo, nervioso.

El negro soltó un batazo altísimo que el viento trajo hasta el *dog-out* del San Fernando, cerca de donde ellos estaban sentados. El *catcher* vino en su persecución, con cara desesperada, pero la bola fue a rebotar con golpes sordos en el techo de los palcos.

—La cuenta se mantiene en tres y dos —dijo el chintano, como si fuera el locutor.

—¿Vos sos payaso, o qué? —el gordo ya estaba bravo: roletazo entre *short* y tercera, sale el *short*, recoge, tira a primera: ¡*out* en primera!

A él la ilusión se le subió a la garganta, estalló allí triunfalmente y el estallido lo inundó por completo. ¿Volvería con él a Masatepe esa misma noche? Cohetes, el gentío en la calle, habría que cerrar la puerta de la zapatería, no fueran a robarle todo.

El ojo rojo de la pizarra estaba marcando el primer *out*.

—Ya va llegando, va llegando—suspiró la mujer, con esfuerzo.

Sintió que el gordo le echaba afectuosamente el brazo, el chintano le palmeaba la espalda chabacanamente, el dueño del radio le subía más el volumen, en señal de alegría.

—No me feliciten todavía —pidió él, deteniéndolos con un gesto de las dos manos, pero más bien les quería decir: felicítenme, abrácenme todos y todos distraídos, riéndose, comentando.

El sorpresivo sonido del bate los hizo volver de inmediato la vista al cuadro.

Vio la bola blanca, nítida, rebotar en el engramado en viaje hacia la segunda base y detrás de la almohadilla el hombre de segunda ya estaba allí, venía al encuentro de la bola y le llegaba de costado, la recogía, recoge, la saca del guante, va a tirar a primera, pierde entre las manos, un malabar que no acaba nunca, recupera, tira a primera, viene el tiro, el tiro es abierto.

El corredor pasaba raudo sobre la almohadilla de primera con su misma sonrisa de un momento antes pidiéndoles que no lo felicitaran, él tornaba a mirarlos, todo aquello era mentira y era locura. Pero el juez de primera vestido de negro seguía allí, casi encuclillas, los brazos abiertos barriendo una y otra vez el suelo, mientras el corredor se afirmaba desafiante sobre la almohadilla lanzaba a lo lejos el casco protector.

Sergio Ramírez

El dueño del radio le quitó el volumen. La voz de Sucre Frech sonaba, pero ya no se entendía lo que seguía diciendo desde la cabina.

—Detrás del error, viene el *hit*— dijo el chintano, implacable. Los dos o tres fotógrafos que andaban por el campo, se congregaron junto al *home-plate*.

El sonido claro y sólido del bate lo llamó otra vez desde las profundidades donde andaba perdido y desconsolado. La bola picaba en el fondo del *centerfield*, rebotaba contra la cerca y el hombre de primera estaba llegando cómodamente a la tercera base, venía el tiro de vuelta al cuadro, en relevo hacia el *catcher* para contener al corredor en tercera, un tiro malísimo y la bola casi la metían en el *dog-out*, los flashes de los fotógrafos denunciaban que estaban entrando a la carrera del empate y el segundo corredor ya doblando por tercera, la bola no llegaba nunca y el hombre se barría en *home* en medio de una gran polvareda y más flashes de los fotógrafos.

—¡Allí está el Bóer, pendejos! —gritó el gordo, feliz.

Él miró desconsolado a los del grupo.

—¿Y ahora?—les preguntó, casi sin darse a oír.

—La bola es redonda —declaró desde atrás el chintano, ya de pie para irse.

La poca gente comenzó a salir, despreocupada, apresurada. El gordo se alisó el pantalón por las nalgas, buscando el viaje. El San Fernando ya había desaparecido del cuadro. El gordo y la mujer se alejaron, platicando.

Entonces él recogió el portaviandas y la botella de café con leche ya fría. Empujó la puertecita de cedazo y entró al terreno. En el *dog-out* los jugadores andaban perdidos en la penumbra, vistiéndose para irse.

Se sentó en la banca junto al muchacho y desamarró el trapito que cubría el portaviandas. El muchacho, el uniforme traspasado de sudor, los zapatos llenos de tierra, comenzó a comer en silencio. A cada bocado que daba lo miraba a él. Masticaba, daba un trago de la botella, y lo miraba a él.

Mientras comía se quitó la gorra para secarse el sudor del pelo y una ráfaga de viento que arrastraba polvo desde el diamante, se le llevó la gorra. Él se levantó presuroso para ir tras la gorra del muchacho, y logró recogerla más allá del *home-plate*.

Del lado del *rightfield* comenzaron a apagar las torres. Sólo quedaban los dos en el estadio, rodeados por las graderías silenciosas que empezaban a ser invadidas por la oscuridad.

Volvió con la gorra y se la puso cuidadosamente en la cabeza al muchacho que seguía comiendo.

Managua, Nicaragua
febrero/marzo. 1984

Sergio Ramírez

Tarde de sol

A Julio Valle-Castillo

El asunto de los balazos, la verdad es que nadie logró entenderlo en aquel momento. El *catcher* había tirado la máscara para perseguir un elevado de *foul* cerca de la raya de tercera base. El viento traidor se llevó la pelota, pero él la siguió buscando deslumbrado por el sol, ya cerca de las graderías, y sin miedo de chocar contra la malla metió el guante y la atrapó, para enseñársela orgulloso al público desde el suelo donde había quedado malherido, escupiendo los dientes.

Así cayó el tercer *out* del noveno *inning*, y la multitud, que mantenía el corazón suspendido en la boca, armó la tremolina. La gente lloraba, se abrazaba. Es un juego que nadie olvida, cualquiera que estuvo allí, o lo oyó por radio, te lo puede repetir de memoria. Las alineaciones de cada equipo, las jugadas decisivas, las barridas en el *home*, los *outs* más dramáticos, todo pasó a la historia.

Yo estaba allí, entre la fanaticada. Nunca fallaba a un juego, aunque tuviera que cerrar la cantina, y tampoco fallo ahora, aunque ya no sea lo mismo, se acabaron los grandes beisboleros extranjeros. Que a una mujer le guste el béisbol, no es nada extraño. Y yo sé de béisbol, siempre llevo al estadio mi propio libro de anotaciones, para ir marcando cada jugada.

Sergio Ramírez

Aquel era el último juego del *play-off*. El Granada acababa de conquistar el Campeonato de la Liga Profesional de Béisbol de 1956, gracias a la faena magistral de Silverio Pérez que había pitcheado los nueve *innings* metiendo a fondo el brazo, bordando verdaderas filigranas con el brazo. ¿Por qué alguien iba a querer matarlo? Un *pitcher* como nunca se volverá a ver en Nicaragua. Aunque vos sos el único que podría igualarlo, vos podrías llegar a ser más grande.

El *out* de la victoria. La banda de música arrancó a tocar el famoso pasodoble *Silverio Pérez* de Agustín Lara, que se había convertido ya en el pasodoble del gran *pitcher*, era como su himno, porque torero y *pitcher* venía a ser la misma cosa en las tardes de sol del estadio de Granada en aquellos tiempos. La multitud, de pie en las graderías, al solo escuchar el pasodoble, empezó a corear *Silverio, Silverio Pérez, torero torerazo de la fiesta más bella*, mientras los jugadores del Granada salían en tropel del *dog-out* para alzar en hombros a Silverio Pérez y pasearlo por el engramado.

Los jugadores del Cinco Estrellas, nada menos que el equipo de Tacho Somoza, que pensaban que era pan comido aquel juego, porque su gran jonronero Domingo Vargas, *"El Ciclón del Caribe"*, iba a hacerles el milagro, se quedaron como perros apaleados dentro de su *dog-out*. Imagínate, Domingo Vargas, un negro dominicano que metía miedo con el bate, Leonidas Trujillo se lo había mandado a Tacho Somoza como regalo personal. Silverio Pérez lo silenció aquel domingo; las veces que no se ponchó, se fue en roletazos mansos al cuadro.

Pero después de tanta gritería, de tanto delirio, nadie salía del asombro. Balear a Silverio Pérez, en la tarde de su mejor faena, cuando cualquiera de los allí presentes le hubiera regalado lo que tenía, el reloj, la cartera, el blúmer. Yo me hubiera quitado el blúmer para dárselo en ofrenda, si no es por recato. Y que fuera Chelú el hechor. ¿A quién se le iba a cruzar por la mente?

La directiva del equipo en cuerpo, acompañada por la novia del Granada, abandonó el palco y se dirigió hacia el *home-plate*, Chelú a la cabeza, porque a él le correspondía recibir el trofeo de manos del presidente de la liga. Cuando anunciaron el nombre del Chelú por los parlantes hubo un gran aplauso, le lanzaron vivas, los fotógrafos lo acosaron con los flashes.

Esas fotos están en los periódicos que muchos conservan todavía aquí en Granada, yo tengo en el ropero uno de esos periódicos, después te lo voy a enseñar; Chelú aparece con la gorra del Granada, y por esa foto podés adivinarlo todo. Nada de la alegría de la victoria hay en su cara, es una sombra funesta la que cubre su semblante.

Los jugadores ya estaban alineados frente al *home-plate*, Silverio Pérez el primero en la fila. La novia del Granada, que era una gran casquivana, corrió a darle un beso en la boca, y muchos léperos rechiflaron de contentos. A partir de allí, ya es difícil decirte cómo fue que ocurrieron los sucesos. Los fanáticos de las gradas de sol, saltándose las mallas, habían roto los cordones de guardias, invadieron el terreno y tapaban la visibilidad. Fue entonces que sonaron las detonaciones, que en un comienzo nadie pensó, fueran de un arma de fuego. Porque estallaban cohetes y triquitraques por todos lados.

Hasta que se vio correr a Silverio Pérez, desaforado, por el rumbo del *leftfielder*, y se le vio saltar la barda propiamente donde estaba el anuncio del Jabón Marfil, perseguido por Chelú que le seguía disparando, ya de lejos, porque un viejo gordo y asmático no iba a alcanzar a un *pitcher* estrella, además excelente corredor de bases. Chelú, tan pacífico, con tanto don de gentes, en aquel trance. Es ahora, y todavía se me encoge el corazón.

Los compases del pasodoble se apagaron, solo quedó sonando la trompeta, pero al fin también se calló. El griterío ya se había silenciado cuando los guardias, garand en mano, rodearon a Chelú, que entregó el arma sin resistencia, y tapándose los ojos con el pañuelo, se puso a llorar. Yo me partí en lágrimas al verlo llorar. Un potentado, un hombre rico, finquero, dueño de la curtimbre Cocibolca, exportador de cueros, presidente del equipo Granada por puro amor al deporte rey, llorando delante de toda la fanaticada granadina.

Silverio Pérez, apenas alcanzó la calle, muchos lo vieron, cogió un taxi que pasaba, y sin acordarse de recoger su equipaje en el Hotel Alambra, se fue directo al aeropuerto Las Mercedes. Obtuvo un salvoconducto, eso salió en los periódicos, y se subió al avión de la Taca con el mismo uniforme sucio y sudado, y los *spikes* puestos.

En La Habana lo entrevistaron y declaró que había sido víctima de un atentado terrorista, que unos agentes de los barbudos de Fidel Castro habían querido secuestrarlo igual que a Juan Manuel Fangio, el as argentino del volante. Esa entrevista se publicó en Bohemia. Fulgencio Batista le hizo el honor de recibirlo en su palacio, en Bohemia salió la foto. Por supuesto, mentía. También tengo esa revista.

A Chelú, no lo encarcelaron, y la ciudadanía granadina estuvo muy de acuerdo. Un hombre muy querido, el mejor presidente que el equipo Granada ha tenido nunca. Es más, le devolvieron la pistola. El comandante departamental en persona, el coronel Bello Rueda, lo llevó en su Jeep a su casa de la calle Atravesada. Se encerró en su aposento, y no quiso recibir a nadie por varios días; todo eso lo supe por las sirvientas, que me querían mucho y llegaban a la cantina a darme las noticias. A pesar de mi congoja, yo no me podía acercar a la casa, Dios libre. Quería correr a consolarlo. Pero no se podía.

Semanas después del percance fatal, un viernes en la tarde, volvió a aparecer por aquí. Yo lo estaba esperando, muy segura de que tarde o temprano tenía que volver a este su refugio, porque solo conmigo podía sincerarse, solo conmigo podía desahogar todos sus sinsabores. Me alegré y me entristecí al mismo tiempo al verlo llegar en el coche de caballos. Salí a recibirlo, el cochero me ayudó a bajarlo. Enflaquecido, le bailaban los pantalones de lino, le vacilaban las piernas.

—Aquí viene a verte tu cadáver, Carmelita —me dijo.

—A mí no me andés con guanacadas fúnebres —lo regañé yo.

Pero es que, de verdad, ya había agarrado viaje para el cementerio. Los clientes que estaban en ese momento aquí en la cantina, lo aplaudieron al verlo entrar, pero ni siquiera se sonrió. La ciudadanía no le reprochaba a Chelú que tuviera una querida; era viudo, yo estaba entera, y conmigo se distraía de su soledad.

Lo pasé directo al aposento, lo senté en su mecedora, le llevé su botella de Black and White, que bebía con Pepsi Cola, le corté sus mangos en rodajas, le asé su lomito de cerdo, todo como a él le gustaba.

Sergio Ramírez

Pero ya le hacía asco a la bebida y las viandas me las dejó intactas. Mantenía la mirada clavada no sé dónde, y las veces que regresó, fue lo mismo. La pena se lo estaba llevando.

El juego decisivo que te cuento fue el primer domingo de mayo. El sábado, la noche entera, pasó dándose vueltas en la cama, eso me lo repitió no sé cuántas veces. En la angustia de su desvelo, apuntalaba aquella decisión en su pensamiento, haciéndose cargo del escándalo que se le iba a venir encima, viéndose deshonrado, preso en La Pólvora. En la madrugada, escribió su carta de renuncia a la presidencia del equipo, que le dejó al cochero para que la entregara después del juego. Por supuesto, no le aceptaron la renuncia los demás directivos, más bien le otorgaron su respaldo moral, así constó en el acta respectiva. Yo tengo esa acta. Pero nunca volvió a aparecerse a las reuniones.

Si Silverio Pérez ganaba el juego, y el Granada conquistaba el campeonato, iba a matarlo a la hora de la ceremonia. Si perdía, lo mataba en el *dog-out*. Esa fue su resolución en aquella noche de tormento. Que fuera a poder matarlo es otra cosa. Chelú usaba pistola para ir a la finca, pero jamás le había disparado a nadie, un hombre que no tenía enemigos, ni grandes ni chiquitos.

Así amaneció, me dijo, sin haber pegado los ojos, y andando de un lado a otro por el aposento en pijama, como enjaulado, vio avanzar la mañana. Se bañó como a las doce. Todavía en camisola, los tirantes de goma colgando sobre los pantalones de lino recién planchados, porque siempre se vistió de lino blanco, se acercó con paso decidido al ropero. En la luna del espejo de ese ropero yo me vi desnuda, de cuerpo entero, por primera y única vez en mi vida, en una ocasión en que Chelú me hizo entrar en secreto a la casa, después de las campanadas de la medianoche.

Arrimó el butaco donde dejaba cada noche la ropa al desvestirse, y se subió, cuidadoso de no perder el equilibrio, para buscar en el último tramo el revólver de cacha nacarada que al fin encontró, palpando a ciegas. Aún sin bajarse del butaco revisó el tambor y comprobó que la carga de seis tiros estaba intacta.

Cogió la manía de creer que la grasa del arma le había quedado untada en las manos para siempre; cuántas veces no me lo repitió, allí sentado, en la mecedora donde estás vos, limpiándose las manos con el pañuelo.

—Es peor que si tuviera cuita de gallina en las manos—me decía—. Ni un solo tiro le logré pegar.

—Ya está—le decía yo—, olvidate para siempre de esa pendejería. ¿Para qué vas a seguirte atormentando? Da gracias que no heriste a nadie en aquel molote.

—Déjame—me contestaba él—; así, por lo menos, lo mato en el pensamiento a ese bandido, cada vez que me acuerdo de mi fracaso.

Y vuelto a su obsesión. Cogió del pilar de la cama la camisa, se la abotonó con parsimonia, se ajustó los tirantes, se puso la corbata. Me decía que ya sentado en la cama, cuando se agachó para amarrarse los zapatos, sintió un vahído que lo achacó a su estómago vacío, sin querer aceptar que el miedo, o la rabia, fueran a producirle mareos a un hombre decidido.

No había desayunado, ni pensaba almorzar. Carmelita, porque no se distraen en comer los que van a matar, me insistía, mirándome con ojos derrotados.

De la capotera de la sala tomó su sombrero de pita y salió a la calle, la pistola en la bolsa del saco, para abordar en coche de caballos. El cochero lo aguardaba desde el mediodía, afligido de que fueran a perderse el comienzo del juego porque era un fanático empedernido, y arreó rumbo al estadio. El partido empezaba a las dos.

La multitud que se dirigía en romería a presenciar el juego no dejaba avanzar el coche, y cuando llegaron al estadio ya el Granada estaba tendido en el terreno, Silverio Pérez en la lomita de las sorpresas haciendo sus tiros de calentamiento. Por los altoparlantes, el locutor terminaba de dar a conocer el *line-up* de los equipos.

Mientras ocupaba su sitio de honor en el palco de la directiva, Chelú vio de lejos al torero que seguía calentando el brazo, y palpó con disimulo el bulto de la pistola. Sonó entonces el himno nacional y hubo un silencio respetuoso en todo el estadio, hasta que al final de las notas sagradas retumbó el griterío. La banda de música, colocada al pie de los palcos del *home-plate*, rompió a tocar el pasodoble, y el alboroto se hizo tan desenfrenado que Chelú arrastrado por el entusiasmo, se puso también de pie para vitorear al torero.

—Me avergoncé de ese impulso, Carmelita —me repetía—, y has de creer que llegué a dudar de mi decisión. Era como que fuera a matar a mi gallo más fino, a un caballo pura sangre que valía una fortuna.

Y mientras más pensaba en el asunto, es claro que más difícil le parecía. El juego avanzaba y Silverio Pérez se comportaba mejor que nunca; sus lanzamientos eran indescifrables y en la pizarra se iban alineando los ceros. Pero le volvían a la cabeza los fogonazos de rabia, y se tanteaba la cintura, para comprobar que la pistola seguía allí, acompañándolo.

—Me sentía solo, Carmelita —me decía—, el arma cargada era mi única compañía, el único santo al que podía encomendarme.

—¡Jesús! —lo reprendí yo—. No seás tan réprobo.

—Si por algún pecado me va a condenar el tribunal eterno, es por haber fallado la puntería —me contestaba, medio bravo y medio triste—. Y estoy resignado a aguantar cualquier suplicio, por los siglos. A los mequetrefes, ni los santos los lloran.

Si no es por el empeño de Chelú, jamás se hubiera conseguido el contrato de Silverio Pérez. Se ganó el reconocimiento unánime de la fanaticada granadina que clamaba por un *pitcher* estrella que ayudara a sacar del sótano a su equipo. Viajó a La Habana a negociarlo, se sentó por días a discutir con Bobby Maduro, dueño de los Sugar´s Kings.

—Fue como un juego de *poker*, Carmelita —me contaba orgulloso—, el hombre no quería deshacerse de Silverio. Hasta que conseguí arrancarle la firma del contrato, y me lo traje en el avión.

Qué recibimiento más apoteósico y desenfrenado. La ciudadanía se desbordó a lo largo de toda la calle Atravesada, que lucía adornada con festones y banderas, la bandera de Cuba, la bandera de Nicaragua. Llovieron flores y serpentinas de los balcones, estallaron cohetes, y la banda filarmónica no cesó de ejecutar en todo el recorrido, que terminó en el Club Social, frente al Parque Central, el pasodoble: *Silverio, Silverio Pérez, tormento de la mujeres*... la multitud desbocada no dejaba avanzar el Cadillac dorado, descubierto, Silverio Pérez sentado en el respaldo del asiento trasero, cubierto de flores, como una imagen bendita.

Chelú orgulloso, manejaba el Cadillac. Ese carro, único en Granada, se lo había obsequiado hacía poco a la Michi, cuando ella regresó de estudiar de San Francisco California. La Michi, como hija única, era muy consentida. Para ella, un Cadillac último modelo, todos los gustos. Y Chelú, siempre en su coche de caballos. La única vez que alguien lo recuerda manejando ese Cadillac fue aquel día triunfal.

En los salones del Club Social, con sus arañas encendidas al mediodía, se brindó con champaña mientras la ciudadanía se agolpaba afuera, exigiendo ver y palpar a Silverio Pérez. Tres veces hubo de salir Chelú, llevando del brazo al *pitcher*, para acallar los reclamos que no se aquietaron sino al atardecer. Un poco más tardaron en aquietarse las críticas de la sociedad granadina frente al ultraje de que un beisbolero pisara los salones del Club Social.

Críticas injustas. Porque Silverio Pérez probó que se merecía ese honor, y más; desde su primera aparición en el diamante demostró su talla impecable de triunfador, ganando siete juegos al hilo y colocándose a la cabeza de los ponchadores; los grandes *sluggers*, yanquis, cubanos, panameños, dominicanos, se quedaban como idiotizados con la carabina al hombro, viendo pasar sus lanzamientos sin hacer siquiera el intento de tirarle a su bola de fuego. Su curva era mortal, asesinos sus *sliders*, alucinante su velocidad y asombroso su *screw-ball*. Sus faenas, en tardes de sol, como decían los periódicos, eran las de un verdadero torero. El Granada no sólo salió del sótano, pronto estuvo colocado entre los primeros cuatro *teams* que se disputaban el campeonato.

Tacho Somoza, viendo que su equipo, el Cinco Estrellas, llevaba las de perder, le mandó a proponer a Chelú que le vendiera el contrato de Silverio Pérez. Chelú le dijo que no rotundamente, se lo dijo por telegrama. Toda la ciudadanía leyó el telegrama. Y no era fácil decirle no a Tacho Somoza, que jamás se quedaba sin hacer su voluntad.

El coronel Bello Rueda llegó a visitarlo, a hacerle amenazas disimuladas.

—Se le puede quemar la curtiembre, don Chelu —le dijo—. Y aquí en Granada ni bomberos hay.

—Déjela que se queme coronel —fue su respuesta—, la tengo asegurada con la Lloyd de Londres. Y el seguro contempla mano criminal.

Le consta a la ciudadanía que Chelú nunca aprobó las costumbres disipadas de la Michi, que ella me perdone. Desde que volvió de los Estados Unidos se dedicó a prenderle fuego a Granada. No hay quien no recuerde su corte de pelo varonil, la primera mujer que se cortaba el pelo en una barbería; sus bluyines ajustados, con los que se presentaba hasta en los velorios, mascando chicles sin parar, el tocadiscos siempre a todo volumen en la sala de la casa, los discos de Elvis Presley desparramados en los sillones, las bailaderas de rocanrol, invitaba a cualquiera, aunque no fuera de su condición, su Cadillac dorado como una tromba por las calles, arracimado de hombres que recogía en las esquinas para venirse con ellos a tomar cerveza a las cantinas de la costa del lago.

Aquí la atendí yo no pocas veces, a ella y a su cardumen; me trataba con mucha confianza, con mucho cariño, y yo se lo agradezco. En broma, me decía mamá; a mí me daba vergüenza, qué era eso, una falta de respeto para su difunta madre, pero qué iba yo a reprocharle nada.

A pesar de todos sus desmanes, de sus correrías, Chelú nunca llegó a desconfiar de su pureza, convencido de que iba a entregarla virgen en el altar.

—Son las costumbres yanquis, Carmelita—me decía sonriente—, de allí no pasa.

Pero cuál no sería su sorpresa cuando la tarde de aquel sábado, víspera del gran juego, la Michi lo llama aparte para confesarle, deshecha en llanto, que esperaba un hijo de Silverio Pérez.

El cobarde, y no creás que no me cuesta llamarlo así, se negaba a reparar su falta. No quería oír hablar de matrimonio, se iba del país una vez terminado el partido, ya tenía su equipaje listo en el Hotel Alambra donde el mismo Chelú lo había instalado a cuerpo de rey, a diferencia de los demás jugadores importados que vivían en pensiones de segunda.

Después, cuando todo el mundo se refocilaba hablando del escándalo aquí en la cantina, a muchos oí decir que recordaban un detalle de aquel día en que Silverio Pérez hizo su entrada triunfal a Granada; que cuando la procesión pasaba frente a la propia casa de Chelú, desde el balcón, la Michi le lanzó una rosa encarnada que el torero torerazo recogió al vuelo; y que de aquella rosa encarnada había nacido el romance secreto que iría a desembocar en desgracia pública.

Se fue también del país la Michi, vía Panaire, de regreso a San Francisco de California. No pudo despedirse de Chelú, que enclaustrado en su aposento, ya no quiso verla más. Las puertas de la casa, vigiladas por los curiosos, quedaron cerradas por semanas. Jamás volvió a responderle sus cartas.

Y ni en la hora de su muerte quiso saber nada de ella. Cuando cogió cama, me mandó llamar por medio de un papelito para que fuera yo quien lo cuidara, porque no quería morir entre la nube de monjas vicentinas del hospital, que le habían invadido el aposento, encabezadas por la madre superiora.

—No me dejan ni orinar a gusto —fue su queja cuando me vio aparecer.

Y más muerta de susto que otra cosa me instalé en la casa, un poco como gallina comprada al principio, pero ya después cogí don de mando y me hice cargo del gobierno del aposento. Las monjitas, ofendidas, se quejaron a los familiares, pero ya no hubo caso, tuvieron que retirarse. Fue en esos días que llamó la Michi por teléfono desde San Francisco de California.

Yo cogí la llamada, la voz se le oía lejísimos, en medio de una bullaranga de ruidos, como en esas estaciones de radio extranjeras en que transmitían los partidos de las grandes ligas. Fui a avisarle a su cama.

—Te llama tu hija—le dije—; tené valor, y pensá bien lo que querés que le diga.

—Decile que ya me morí hace tiempo —fue su contestación.

—Te manda a poner a la orden un nieto—le dije yo, con mucho tiento.

Pero él se dio vuelta en la cama, y se hizo el dormido. Ni loca iba a comunicarle que la Michi, la muy terca, le había puesto por nombre Silverio a su nieto, que el niño se llamaba Silverio Pérez, porque se hubiera ido de este mundo antes de tiempo.

Amargura ya tenía suficiente. Nunca se le pasó por la cabeza que la Michi fuera a enredarse en aquellos amores secretos con un hombre que vivía en amancebamientos escandalosos con toda clase de mujeres libertinas, si a su cuarto del Hotel Alambra una entraba y otra salía, de eso toda la ciudadanía tuvo constancia. Y cuántos que quieren ser pitchers estrella, no alegan ahora que son hijos de Silverio

Sergio Ramírez

Pérez. Lo cual es mentira, fueron amores sin fruto. Ninguno de esos impostores tiene su físico, ni su prestancia, porque galán, era. Menos que tengan su brazo de fuego.

Galán, barba cerrada, pelo ensortijado, pestañas crespas, así como vos. Vos sí, sos su vivo retrato. Y no vayás a sentirte con vergüenza. Yo sé que a pesar de todo, Chelú hubiera estado orgulloso de vos, aunque haya dejado desamparada en el testamento a la Michi, y te haya dejado desamparado a vos.

A mí, como ves, tampoco me dejó nada, a pesar de que lo quise tanto, a pesar de que llevé hasta el final la cruz de su enfermedad, y no por eso me resentí con él. Todo se lo heredó a las monjitas vicentinas, más por venganza contra la Michi, que por caridad.

Pero si ahora viviera, y supiera que dejaste con la boca abierta a los *scouts* de los Gigantes de San Francisco, que en lugar de presentarte a los entrenamientos de primavera en Palm Springs te viniste para Nicaragua contra la voluntad de la Michi, que despreciaste el contrato que te ofrecían, hubiera sido su alegría, se le hubiera acabado el rencor, todo lo hubiera olvidado.

Alzá bien alto tu frente, mañana que te toca pitchear tu primer juego en Granada, yo voy a estar allí, con mi libro de anotaciones, aunque tenga que cerrar otra vez la cantina. Y me quito el nombre si muy pronto no se vuelve a oír otra vez aquel pasodoble en las tardes de sol, cada vez que salgás a colocarte, con donaire de torero, en el centro del diamante.

Managua, Nicaragua
noviembre/diciembre. 1991

HANK GREEN

El Pibe Cabriola

Souvenir Programme

Para Alberto Fuguet, para Edmundo Paz Soldán

Hello, darkness, my old friend,
I've come to talk with you again...
Simon and Garfunkel, The sound of silence

Ese juego de eliminatoria del Mundial iba empatado a un gol por bando ya para acabarse el segundo tiempo y la pelea seguía cerrada. La presión del onceno paraguayo se concentraba de acá de este lado, sobre el arco nacional, porque necesitaban su gol o perecían para siempre, mientras nosotros jugábamos a que no hubiera más goles porque era suficiente dejar así las cosas, con empatar nos asegurábamos el boleto para Francia, y ellos, adiós y olvido.

Sólo por un si acaso íbamos a buscar la entrada en la cancha paraguaya en los pies del Pibe Cabriola, que tenía instrucciones estrictas de nuestro entrenador, el doctor Tabaré Pereda, de aguardar fuera del teatro de la pelea por un pase de fortuna. Entonces, si le llegaba la esférica, debía correr con ella por delante, solitario en la llanura, y perforar el arco enemigo, un segundo tanto de adorno que sería suyo como mío había sido el primero, porque yo había metido el único gol nuestro de la jornada, un tiro corto pero certero por encima de la cabeza de los defensas para ir a ensartarse en la pura esquina, un gol de aquellos que ponían de pie a la gente en las tribunas como si les calentaran de pronto con brasas vivas el culo.

Así, pues, seguía el juego, los paraguayos sin defensas, convertidos todos en delanteros, acosándonos, y todos los artilleros nuestros convertidos en defensas cerrando el cerco, una fortaleza de pies, y piernas, y torsos, y cabezas, salvo el Pibe Cabriola aguantando fuera del perímetro de los acontecimientos, según había decidido, ya les dije, el doctor Tabaré Pereda, el entrenador contratado en Uruguay. Lo decidió en el descanso del medio tiempo, y nos repitió sus instrucciones tantas veces como si hiciera cuenta de que éramos sordos, o caídos del catre, para que se nos grabara bien, nos advirtió, no quería malentendidos que condujeran a errores fatales porque íbamos a jugarnos el destino, la vida, y el honor. Doctor le decían los aficionados, no porque fuera médico sino por sus sabias estrategias.

Se quedaban con su único gol y nosotros con el nuestro, y ya estaba, el puntaje acumulado en la ronda eliminatoria nos favorecía. De eso estaba más que claro el entrenador de la selección paraguaya, un yugoslavo pedante llamado Bosko Boros, que no en balde se salía a cada rato hasta la raya, vestido como para el día de su boda, de traje blanco y corbata plateada, una flor en el ojal, anteojos de sol azules, los zapatos pulidos igual que la calva, para animar a gritos a su tropa con ansias de meterla en tropel dentro de nuestra portería, pero allí estaba alerta el Inti Suárez Ledesma para rechazar a corazón partido los tiros que lograran colarse a través de la muralla.

Pedantísimo el yugoslavo y peor que caía en las tribunas porque nosotros pateábamos en cancha propia, el gran estadio Mariscal Bartolomé Uchugaray de la ciudad capital lleno hasta el copete, y cada vez que se le ocurría salir al campo en uno de sus impulsos desesperados, la silbatina le reventaba los oídos. Era por nosotros, los de casa, por supuesto, que aullaban de entusiasmo las manadas de hinchas, para nada abatidos por el desvelo tras hacer colas desde la medianoche, desplegaban sus banderas dando saltos como endemoniados, las caras pintarrajeadas con los colores patrios, y de ese entusiasmo recogíamos nosotros las energías cuando parecían faltarnos, sudando la pura sal porque agua en el cuerpo no nos quedaba, si chapoteábamos charcos de sudor en la grama.

Y faltando a lo más un minuto, cuando al fin parecía que el tiempo dejaba de ser eterno para dar paso al silbatazo final, el Inti Suárez Ledesma desvió un disparo mortal con los puños y la pelota rebotó por encima del palo. Corrieron los paraguayos a ponerla en la esquina porque a ellos el tiempo se les iba como la vida, patearon el corner y por mucho que salté no pude yo ensartar el cabezazo para mandarla lejos. Y entonces vi que aterrizaba a los pies del Pibe Cabriola.

El Pibe Cabriola nada tenía que estar haciendo allí, en la defensa, pero esa fue una sorpresa que no me tardó en la mente, estaba, ni modo, y ahora sólo tenía él que despejar la bola para enviarla a saque de banda y moría ya todo, adiós mis flores muertas, en lo que la traían de nuevo a la raya el árbitro pitaba, pero el Pibe Cabriola se giró mal, o fue que se resbaló, y entonces dio un taconazo, y con el taconazo la bola salió impulsada con golpe de efecto en sentido contrario, describió un arco hacia adentro muy cerca del palo derecho y atraída por una fuerza magnética rebotó mansa dentro de la red y se quedó solitaria, dócil, todo en cámara lenta según lo veían mis ojos, y ya no había ningún remedio, como en un sueño lerdo vi a uno de los paraguayos que iba a sacarla de la red, se arrodillaba a besarla como si fuera alguna cabecita rubia, se la quitaba otro y salía corriendo por el centro del campo, la bola alzada sobre su cabeza como si repartiera bendiciones con ella, y ahora todo el equipo iba detrás del premio mayor, una lotería, lo alcanzaron, lo derribaron, y le fueron cayendo encima como si se acomodaran dentro de una lata de sardinas, toda una locura sólo entre ellos porque las tribunas se habían quedado silenciosas, un silencio de cementerio abandonado del que se han llevado hasta las cruces.

El Pibe Cabriola le decían por dos razones: Pibe porque en temporadas regulares jugaba para el Boca de Buenos Aires, y Cabriola porque su especialidad eran las chilenas, cabriolas que dibujaba en el aire, de espaldas a la cancha, para acertar en el arco con tiros infalibles, una verdadera catapulta humana.

Todavía no se daba cuenta de lo que había ocurrido, y se acercó a mí, arañando el césped con paso rápido, sucio de tierra desde las cejas, la camiseta embebida, en busca de que yo le diera la respuesta; y cuando la encontró en mis ojos, en lo suyos lo que vi fue el terror, un terror ya sin nombre cuando todos los demás pasaron a su lado sin alzar a mirarlo, como si se hubiera convertido de pronto en un fantasma incómodo, y peor aún cuando el Doctor Tabaré Pereda, que tenía un carácter como la miel, lo rehuyó en el túnel de los vestidores, pero no por desprecio, estoy seguro, sino por la mucha pena que sentía por él, pena por uno de sus dos artilleros estrellas de la selección nacional. El otro, era yo.

Un error lo comete cualquiera, podía uno decirse, o decírselo al propio Pibe Cabriola en aquel momento en que necesitaba una palabra de consuelo. Pero era un error frente a la nación entera, frente al Presidente de la República y todo su gabinete de gobierno en el palco presidencial, frente a las tribunas repletas. Y allí en las tribunas el estupor no se había roto. La gente se negaba a irse y no cesaba su murmullo, como la lluvia que suena lejos en un cielo negro pero todavía no se ve caer. Sólo el Presidente de la República abandonó el palco en medio del revuelo de ministros y edecanes, abochornado seguramente, si al comienzo del juego se había quitado el terno para meterse la camiseta de la selección. Y aún duraba el estupor cuando ya al anochecer salimos de los vestidores en fila india para abordar el *pullman* que nos llevaría al Hotel NH Savoy donde estábamos reconcentrados. Detrás de las barreras de la policía antimotines se divisaba a la gente con sus camisetas, sus banderas, todavía incrédula. Los policías tampoco dejaban acercarse a los periodistas, que lanzaban las preguntas a gritos bajo el brillo lejano de los focos de las cámaras de televisión.

El Doctor Tabaré Pereda se adelantó muy valientemente hacia los focos, y pidió calma porque todas las preguntas se las hacían al mismo tiempo. Pero no pudo articular palabra. Se cubrió el rostro con las manos, inclinó la cabeza, y lloró en silencio. Esa foto le dio vuelta al país, y quizás al mundo. La vergüenza deportiva de un extranjero noble que lloraba por nuestra selección nacional eliminada gracias al gol de una de sus propias luminarias.

Lo peor de todo fue la pregunta de Ruy "*El Dandy*" Balmaceda, el rey de las transmisiones deportivas en Televictoria Canal 7. "¿Y el traidor, qué se hizo?", preguntó, blandiendo el micrófono como si fuera una pistola cargada. Para la afición nacional, *"El Dandy"* Balmaceda es la autoridad suprema, y su palabra, ley. Narra los juegos como si fuera un diputado arengando a las galerías en el Soberano Congreso Nacional, y viste siempre de terno de alpaca y camisas de cuello almidonado, con corbatas Armani que nunca repite, que si no fuera por los gruesos auriculares forrados en cuero, nadie lo creería un comentarista deportivo sino magnate de la banca nacional.

No hubo quien respondiera a esa pregunta porque el Doctor Tabaré Pereda ya lloraba, y nosotros aguardábamos de lejos, pegados al costado del pullman como frente a un pelotón de fusilamiento. Fue una foto que también salió en los diarios, y en las revistas; y fue la revista Media Cancha la que la puso en su portada con un titular grosero: ACOJONADOS. Y quien mejor podía responder, el propio Pibe Cabriola, ya no estaba; había sido sacado por el portón de las tribunas escondido en una ambulancia, según el consejo del inspector Santiesteban Valdés, el encargado de la seguridad del seleccionado: "no quiero ninguna otra desgracia, mi'jo, la gente está serena, pero se puede poner exaltada", le dijo. "Así que te irás en la ambulancia, y dormirás en el cuartel, con mis muchachos, allí te llevarán tu cena del hotel. Te pueden leer el menú por teléfono".

Fue una medida de gran prudencia, porque los primeros exaltados empezaban a ser los mismos jugadores de la selección; entre dientes lo acusaban de manera amarga, sobre todo el propio portero, el Inti Suárez Ledesma, que se sentía el más agraviado. Lo peor eran las sospechas entre nosotros mismos, que Ruy *"El Dandy"* Balmaceda se iba a encargar luego de difundir a todo el país. Traidor. ¿Qué estaba haciendo el Pibe Cabriola en el área de la defensa, si el Doctor Tabaré Pereda le tenía un papel claramente asignado? Así me lo repitió muchas veces por teléfono en los días siguientes el Inti Suárez Ledesma: sí, dímelo a mí, ¿qué estaba haciendo?

Al amanecer, el estupor dio paso a un crudo sentimiento de desgracia nacional. Las banderas ondeaban a media asta en los cuarteles, en los colegios, en las estaciones de bomberos; hubo mujeres de luto en las paradas de autobuses, cajeros de banco que aparecieron tras las rejas de las ventanillas con escarapelas negras en el brazo. Hubo emisoras de radio que pusieron al aire marchas fúnebres.

El Pibe Cabriola y yo nacimos en la ciudad de Turimani, al pie de la cordillera. Crecimos juntos en el mismo barrio del Santo Nombre, que llegaba hasta la calle Beato Prudencio Larraín, una calle con una alameda de acacias al centro y un malecón de cemento bordeando el río Lotoyo. Esa calle fue siempre de gente pudiente, con sus *chalets* de dos pisos y sus jardines frontales, y marcaba la frontera con Santo Nombre.

Pero cuando se instaló en Santo Nombre el mercado de abastos, el ruido de los motores de los camiones retrocediendo para descargar en las bodegas, los golpes de martillo en las vulcanizadoras, los pregones de los vendedores callejeros en el mediodía, las sinfonolas de las cantinas a todo volumen en las noches, las pendencias de borrachos, y los mugidos de las reses que degollaban en el rastro al amanecer, fueron motivo para que los dueños de los chalets empezaran a abandonarlos.

A las pozas del Lotoyo íbamos a bañarnos, además, en pandilla, y así tenían otro motivo de ruido con las algarabías que formábamos; pero ahora el río se secó, y en sus trechos más desolados se ha convertido en un botadero de basura. Demolidos los viejos *chalets*, en los baldíos levantaron un hipermercado de la cadena Gigante, y el centro multicompras Metropol; y los que sobreviven han sido transformados en tiendas, *boites*, heladerías y *boutiques;* pero de allí para adentro, con la cordillera al fondo, el barrio del Santo Nombre donde los dos pateamos las primeras pelotas, sigue igual.

Juntos fuimos contratados para el equipo de primera división de Turimani, imberbes todavía. Luego, cuando nos llegó la fama, él jugando en el Boca Junior de Buenos Aires y yo en el Colo Colo de Santiago, hubo en Turimani la escuela Pibe Cabriola, y la clínica Cabro Aldana, que ese es mi nombre de guerra, fotos de nosotros dos en las puertas de las chabolas más humildes, decorando los boliches, los salones de billar, los bares, y hasta los prostíbulos de todas las categorías. Nos querían por igual en Turimani, nos mimaban. Fuimos primero el orgullo local antes de llegar a ser el orgullo nacional, los dos volando sobre el césped verde y la cordillera nevada al fondo bajo un cielo azul brillante en el panorámico de Gatorade que se elevaba mucho más grande que los demás entre el enjambre de vallas publicitarias en todas las encrucijadas del país —*energía pura*—, el Pibe Cabriola la cabellera azabache al aire, la mía cogida en una cola por detrás—*Gatorade de corazón con la selección*—.

Ahora faltaba saber qué había decidido el Pibe Cabriola. Si se vendría conmigo a Turimani, porque al quedar desarticulado el seleccionado nos sobraba tiempo que gastar con las familias; si regresaría a Buenos Aires, aunque todavía faltaba un mes para que empezaran los entrenamientos; o es que iría a esconderse en cualquier otra parte. Pero metido en el cuartel, como un prisionero, no se podía quedar, era locura. Mi consejo sano iba a ser que se decidiera por el viaje a Turimani, pero que se encerrara en casa de sus viejos por un buen tiempo hasta que la pifia empezara a ser olvidada.

Lo llamé por teléfono pero no me lo quisieron poner, y entonces cogí un taxi y fui a buscarlo. Lo tenían recluido en una covacha, y dos policías vestidos de paisano lo custodiaban desde fuera. Me recibió con alivio, como si hubiera sido un condenado a cadena perpetua y yo llevara en la mano su orden de libertad. Claro que sí, estaba muy de acuerdo en que nos fuéramos a pasar esas semanas a la querencia, de acuerdo en que se mantendría a buen recaudo, aunque no entendía el porqué de la precaución.

Aquel terror mortal se le había evaporado. Todo era puro ruido, puro aire, me dijo. Que pusieran en un platillo de la balanza sus hazañas, sus cabezazos de oro, sus cabriolas, su marca de goles con el seleccionado; todo pesaría más que una sola cagada en el otro platillo, la única cagada de toda su carrera deportiva. Hablaba inspirado, como si tuviera enfrente el micrófono de la Cabalgata Futbolística, el programa estelar de la Radio Regimiento; toda la mañana se había quedado esperando la llamada para explicarse delante de los aficionados, sería que en la radio no conocían su paradero.

Lo que él no sabía, porque no había receptor de radio en esa covacha, es que los comentaristas de la Cabalgata Futbolística se habían pasado llamándolo a su gusto el traidor, en imitación de *"El Dandy"* Balmaceda. Y cuando llegaron a los quioscos los periódicos paraguayos esa tarde, en nada iba a ayudar la portada del *ABC Color* de Asunción cubierta

Sergio Ramírez

91

enteramente por un titular en letras rojas que decía ¡GRACIAS, PIBE!, y que los noticieros vespertinos de televisión enseñaron en primer plano.

El chofer que nos llevaba al aeropuerto, un cholo cuadrado de cara picada de acné, enfundado en una chaqueta de aviador de la segunda guerra mundial, lo miraba de reojo por el retrovisor, con una risita malévola que no se le apeó nunca; y cuando llegamos al aeropuerto me preguntó cuál era mi maleta, y la sacó del baúl; pero por la maleta de él no movió un dedo.

Lo más duro fue al llegar a Turimani. Imagínense lo que hubiera sido aquel aeropuerto de haber ganado nosotros la eliminatoria, carajo, y en cambio ir ahora al lado de un héroe de otros tiempos al que no había ni quien le cargara su valija, y detrás del vidrio de la sala de equipajes sólo las caras tristes de sus viejos queriendo fingirse alegres, sus hermanas de anteojos oscuros como si llegaran a recibir un muerto, los sobrinos inocentes correteando por los pasillos, y de repente va la mamá y de su bolsa de hacer las compras saca una cartulina y la arrima contra el vidrio, en la cartulina la foto del Pibe Cabriola y arriba unas letras dibujadas por ella con lápices de colores, había que acercarse para poder leerlas, TURIMANI TE QUIERE. Turimani te quiere, mis cojones. Y mis propios viejos en el otro extremo, haciéndose los desentendidos, mi vieja sudando la vergüenza ajena.

Cuando ya habíamos recogido las maletas del carrusel y pasábamos por la puerta automática, sonó en el sistema de altoparlantes de la terminal la misma marcha fúnebre que estaban poniendo todo el día en las emisoras de radio, *El dolor de la patria,* que según los libros de historia había sido compuesta para los funerales del Mariscal Bartolomé Uchugaray. Y pendejo se quedó, como que no fuera con él, la mamá aplaudiéndolo para desafiar a los altoparlantes, y haciendo que las hijas y que sus nietos también lo aplaudieran.

Durante esos días en Turimani, al principio iba a visitarlo. Pero me llamó mi agente desde Santiago para recomendarme prudencia, no me convenía por mi cartel que me vieran más en esa casa, ya se había filtrado en *La Tercera*, cuidado nos fotografiaban juntos, los dueños del Colo Colo andaban inquietos: y decidí, por mi bien, hacer caso. Me llamaba por teléfono, y yo nunca estaba.

Detrás de aquellas paredes tenía todas las comodidades, antena parabólica, piscina calefaccionada, y en el fondo de la propiedad una huerta frutal con el pico del Nevada de Natividades, el mismo que aparece en el óvalo de la etiqueta de la cerveza Hochmeier, tan cercano a la vista como si estuviera dentro de la huerta. Les había construido aquella casa linda a sus padres, y hasta un taller de carpintería en el fondo de la huerta le mandó levantar al viejo para que se entretuviera haciendo y deshaciendo muebles con herramientas que nunca tuvo durante su vida de carpintero de ataúdes.

Me fingí enfermo con influenza asiática para justificar mis ausencias. Pero yo llamaba a sus hermanas, que le tenían una adoración rayana en el delirio, y ellas me informaban de su situación. Luce tranquilo, me decían. Parecía que el encierro no lo afectaba mucho, salvo el aburrimiento, lógico; pateaba la pelota en la huerta con sus sobrinos, le daba una mano al viejo con la lijadora eléctrica, y después de la cena se pasaba moviendo la parabólica con el comando manual para pescar toda clase de programas

Sergio Ramírez

93

de televisión hasta la madrugada, tumbado en una poltrona de cuero que le había regalado la fábrica *Tu Piel* de los hermanos Covarrubias, admiradores nuestros; una poltrona para él, otra para mí.

Fueron sus hermanas quienes me dieron la mala noticia de que había empezado a beber, ellas creían que por lo mismo del aburrimiento. Bebía durante esas largas sesiones frente a la pantalla de televisión, después que todo el mundo se había ido a acostar; primero cervezas Hochmeier de lata, el reguero de latas vacías amanecía al pie de la poltrona; pero después pisco, y whisky Wild Turkey. Y ya era peor, porque escondía las botellas en su cuarto, y cuando las vaciaba las tiraba en secreto al tacho de la basura.

Pasó su cumpleaños, y por sus hermanas supe que tuvieron fiesta familiar, con pastel y velitas y todo. Cumplía veintidós, uno menos que yo; llegaron tíos y primos y algunos otros parientes que no podían decir que no, si había sido tan generoso con ellos, préstamos del rey para ampliar sus viviendas, para sacarlos de deudas, deudas hasta de juego, becas para que sus hijos salieran de la escuela pública y fueran al Colegio de los Hermanos Maristas los cabritos, y al colegio de las Oblatas del Sagrado Corazón las cabras.

Mi cumpleaños lindaba con el suyo. El mío decidí celebrarlo en el *Gun and Roses*, un *nightclub* que acababan de inaugurar en la calle del Beato Prudencio Larraín, todo forrado de vinilo negro y artesonado de aluminio, la pista de baile de planchas de acrílico transparente y la iluminación láser. Al lado está el centro multicompras Metropol con los cines Multiplex, y las Pizzas Hut, y el McDonald, de modo que ese sector se llena de juvencios que desbordan el muro del viejo malecón y los bordillos de la vereda de las acacias, por lo que muchos se sientan a plena calle, y así en multitud se quedan bebiendo cervezas y fumando porros hasta más allá de la medianoche, con la música estéreo de los autos y de los camperos a todo volumen.

Y detrás, Santo Nombre. La misma oscuridad a medias, los mismos almacenes de tejas de calamina herrumbradas, las ferreterías, carpinterías y talleres automotrices, los restaurantes chinos calamitosos, las galerías interiores donde viven empleados públicos de baja laya, prostitutas, chulos, camioneros, policías rasos, cordeleros que trabajan en el mercado de abastos. Lo único desaparecido es el degolladero de las reses, que fue clausurado y desde entonces la carne la llevan congelada a los expendios, en cajas de cartón. De una de esas galerías que huelen a fritos y a letrinas, a ropa húmeda, es que el Pibe Cabriola y yo salimos un día al sol de la gloria.

Esa noche de mi cumpleaños invité personal-mente a mi pandilla íntima, uno a uno, por teléfono, para que nadie indeseable se me colara, les di cita en la casa de mis viejos media hora antes, la casa que les mandé hacer en Colinas de Agramonte, y ya todos juntos nos fuimos en caravana, yo a la cabeza al volante del Renegado descubierto donde acomodé a cinco más. Ya la Beato Prudencio Larraín estaba nutrida a esa hora y los juvencios se levantaban al reconocerme para darme paso, entre gritos de sorpresa se desbocaban a besarme en la boca las juvencias como forma de felicitarme, sabían de mi cumpleaños porque había salido en los diarios y me habían dado serenata en los programas deportivos.

Eran las diez cuando entramos al *Gun and Roses,* colmado de no poder dar nadie un paso. Y ya nos llevaba la camarera disfrazada de Madonna a la mesa reservada en uno de los mezanines, cuando lo descubrí en la barra, solitario en una banqueta, de espaldas a la pista de baile, la larga cabellera azabache suelta sobre los hombros. Era de notar, porque las bandadas que iban y venían le pasaban de lejos, como olas encabritadas que se congelaban en el aire por no tocarlo.

A pesar de todo era mi cumpleaños, y yo no estaba esa noche para prohibiciones. Les dije a los de la pandilla que siguieran a la Madonna y fueran a sentarse, y me le acerqué. Seguramente me descubrió reflejado en el espejo del bar porque se volteó hacia mí sonriente, con cara bobalicona, el vaso cargado de whisky rozándole los labios. Se bajó de la banqueta y me abrazó, enzarzándose en esos discursos a media lengua de los borrachos. Me reprochó que lo hubiera abandonado, aunque me daba al mismo tiempo la razón, no me convenía que me vieran con un apestado como él, y yo le protesté, estás loco, huevón, mientras él mantenía sus brazos en mi cuello. No se me olvida que sonaba una viejita de Simon y Garfunkel, *The sound of silence*.

Alcé la voz tratando de hacerme oír por encima de la música, y le pregunté hasta tres veces si es que andaba solo, al tiempo que buscaba alrededor para ver si descubría a algún acompañante; pero en mi exploración lo que encontré fueron rostros ajenos que lo vigilaban de lejos, a mansalva, con cautela agresiva, miradas que me apartaban a mí como si yo fuera un estorbo en aquel espacio vacío donde sólo podía estar él, íngrimo, despojado de toda compañía, y al fin me dijo, con sonrisa amarga, babeada, que no andaba con nadie, quién querría andar con él. Se había escapado, y se rió de manera idiota, se había escapado de la vigilancia de los viejos, se había salido por el muro trasero de la huerta, los viejos que a estas horas estarían alarmados, viendo como averiguar, dijo, sus hermanas lanzadas a la calle, buscándolo. Porque estaban de por medio las llamadas.

¿Llamadas? Las llamadas de amenaza, ahora me amenazan de muerte, el teléfono ha repicado hoy toda la tarde, se encogió de hombros. Y de pronto me agarró por las orejas y yo lo agarré por las orejas y nos quedamos mirando muy de cerca, como hacíamos en plena cancha cuando uno de los dos había metido un gol, te invito a un trago, por tu cumpleaños, me dijo, a pesar de que no quisiste venir al mío, y abatió la cabeza sobre mi hombro y sentí que la baba de su boca, y sus lágrimas, me mojaban la playera.

Cómo va a ser eso, le dije, y busqué sonreírle. Pues eso, hermanito, que me van a matar. ¿Por el gol aquel?, le pregunté, queriendo ponérsela lejana. ¿Pues te parece poco? Me están queriendo matar desde que ocurrió, y yo volví a sonreír, pendejo que eres, le solté las orejas, y fue como si soltara una cabeza sin vida. Pendejo que eres, maricón de mierda. Tomemos un trago, a tu salud y la mía. Y le pedí al barman dos whiskies.

El barman colocó con golpes secos los vasos sobre la plancha, acercó la botella de Wild Turkey, vertió dos medidas en cada vaso, y se agachó para sacar el hielo con la paletilla. Fue a la caja, marcó en el teclado, y rompió en pedacitos la nota que tiró a una papelera invisible bajo el mostrador. Supuse que se había equivocado y que imprimiría otra vez la nota, y entonces le dije que yo pagaría por todo, por esta ronda y por lo que se había bebido antes el Pibe Cabriola, que me diera a mí la cuenta, y le extendí mi tarjeta de crédito.

Él me hizo un breve gesto de que no, y pasó su mirada sobre el Pibe Cabriola que sentado otra vez en la banqueta había doblado la cabeza sobre la plancha. Cortesía de la casa, me dijo con gravedad, y no sin cierta misericordia. Todo lo que él se ha bebido esta noche, desde que entró aquí, y lo señaló con un gesto de los labios, es cortesía de la casa. Y desapareció de mi vista, ahora azorado, para atender a otros clientes.

Ya vengo, le dije al Pibe Cabriola, que farfullaba palabras que no entendí, o ahora sé que entendí: todo el trago que yo quiera es gratis porque ya ves, mi hermano, me van a matar. Ya vengo, voy a avisarle a los muchachos que estoy aquí contigo, le dije, pero más bien iba a advertirles que debía ausentarme por un rato. Tenía que sacarlo de allí, llevarlo a su casa, entregárselo a sus viejos.

Cuando volví al bar, ya no estaba en la banqueta. Me costó trabajo abrirme paso porque ahora el gentío se había cerrado sobre el espacio congelado antes a su alrededor, como si el hueco jamás hubiera existido, como si el Pibe Cabriola bebiendo solitario jamás hubiera existido. Quise preguntarle al barman pero trajinaba en el otro extremo de la barra, y de alguna manera sentí que no me quería dar la cara.

Cuando la puerta forrada de vinilo negro se cerró tras de mí, los ruidos del *Gun and Roses* quedaron atrapados dentro y me encontré con los de la calle bulliciosa, los parlantes de los vehículos atronando en la noche sin estrellas y el eco profundo de los instrumentos de percusión como latigazos sobre el rumor de conversaciones dispersas, gritos y risas, y el humo de los cigarrillos como una niebla que subía del río ya seco. Lo busqué al Pibe Cabriola entre tantos rostros despreocupados hasta donde alcanzó mi vista, pero de alguna manera sabía que la Beato Prudencio Larraín no había sido su rumbo, sino los callejones perdidos del Santo Nombre donde habíamos pateado por primera vez una pelota de trapo.

Giré hacia la oscuridad de un callejón de bodegas cerradas con cadenas, en lo alto la silueta de un tanque de agua sobre una torre de fierro, las láminas de calamina que sonaban desclavadas en los techos como un batir de alas de animales viejos, los almacenes enrejados como crujías, y el tufo a basura de los tachos volcados que revolvían los perros y venía de lo profundo como de un túnel que se bifurcaba y se repartía en otros callejones que eran como otros túneles.

Oí entonces pasos que se alejaban a la carrera en distintas direcciones, y lo descubrí tirado en la acera bajo las luces de neón mortecino de una farmacia cerrada, y corrí, hubiera querido creer que se había desplomado borracho, me arrodillé a su lado y palpé la sangre en su rostro y en su camisa, la cabellera azabache se la habían quitado a tijeretazos, o con navaja, abriéndole surcos y heridas, un corte en una oreja y un tajo profundo en el estómago donde la sangre se aposentaba y se hacía más negra, los ojos de vidrio y la boca abierta en una sonrisa para siempre inocente.

Managua, Nicaragua
enero/diciembre. 1999

Sergio Ramírez

HANK GREEN

La partida de caza

A Dieter

El pintor Dieter Masuhr nos lleva a mi mujer y a mí a su estudio en Falkensee, en las afueras de Berlín, a fin de mostrarnos el retrato para el que posamos en nuestra visita anterior el otoño del año pasado. En el camino, cuando me pregunta sobre lo último que he escrito, le hablo del cuento que Radio Nederland me pidió para una colección de doce relatos de autores latinoamericanos, grabados de propia voz; he utilizado, le digo, un hecho ocurrido hace algunos años en Sudamérica, cuando un futbolista fue asesinado a la salida de un club nocturno, porque de manera accidental le había metido al equipo de su país un autogol en un partido decisivo de eliminatoria del mundial.

Todavía no he terminado de contarle mi historia cuando llegamos por fin a un tranquilo suburbio de modestos chalets con jardines delanteros, parte de lo que antes fue el sector oriental de la ciudad, al otro lado del muro que ya no existe. El estudio está instalado en un viejo taller de carpintería, muy espacioso, en una pequeña calle de grava que se llama Daimlerstrasse.

La luz del naciente verano entra por los grandes ventanales que Dieter hizo abrir cuando alquiló el taller, y baña el retrato colocado con anticipación en el caballete de pino. Aparecemos más viejos en la tela, claro está, y quizás más tristes, y yo más gordo, a diferencia del otro que nos hizo en 1975, antes de despedirnos de Berlín tras nuestra estadía de dos años. Dieter nos muestra también el retrato que le hizo a Kenzaburo Oé, el gran escritor japonés, ganador del Premio Nobel. "Ha retratado usted a mis antepasados", fue su comentario cuando lo vio en el caballete, una vez terminado.

Mientras Tulita toma fotos de nuestro retrato, yo termino mi historia sobre el futbolista sudamericano muerto a cuchilladas en un callejón oscuro del barrio donde había nacido.

Dieter reflexiona, muy serio, las manos en las rodillas. Él también ha envejecido. En su pelo abundan ahora las canas, y lo que queda de juvenil en su cara son sus ojos celestes.

—Se parece a la historia del futbolista Lutz Eigendorf, al que mató la Stasi porque se había fugado de Alemania Democrática para jugar en la Bundesliga—me dice por fin.

Todo mundo creyó entonces que se trataba de un desgraciado accidente de tráfico, pero la televisión alemana acaba de pasar un reportaje del periodista Heribert Schwan, que fue titulado "Muerte al traidor", donde queda claro que la conspiración para dar muerte al futbolista fue dirigida personalmente por el Ministro del Interior y jefe máximo de la Stasi, el servicio secreto de Alemania Democrática, Erich Mielke, fallecido hace poco.

En 1979 el equipo Dynamo Berlín en el que jugaba Eigendorf, había venido a disputar un partido de la Eurocopa a Kaiserslautern contra el equipo local. La noche del 21 de junio, burlando la estricta vigilancia de los agentes encubiertos de la Stasi que acompañaban a los futbolistas, Eigendorf desertó de la Krone Gasthaus, el hotel de tres estrellas donde se alojaban todos. Ocupaban en exclusiva el tercer piso, y en tanto el equipo permanecía en el hotel había siempre una guardia de agentes al lado del ascensor y de la puerta de la escalera, situada al lado.

Pasaban lista a la hora de bajar a comer, y debían sentarse todos juntos, en una larga mesa preparada al efecto. Esa noche, a la hora de la cena, Eigendorf se fingió con dolores de estómago, y tras una breve visita del médico del equipo, miembro también de la Stasi, que le dio a beber unos polvos digestivos, fue autorizado de permanecer en la habitación.

Las puertas de las habitaciones se comunicaban por dentro, y la suya era vecina a la de Malko Richter, el portero del equipo; una hora antes, con el pretexto de devolverle un libro sobre artes marciales, había ido a verle y se las ingenió para quitar el pasador del otro lado. Esa habitación era la última del pasillo, vecina al cuarto del servicio donde se guardaba la ropa de cama limpia y las toallas. Cuando el médico se había ido y el pasillo quedó en silencio, Eigendorf se cruzó a la habitación del portero, y desde allí, aprovechando un descuido de los vigilantes que se entretenían en una plática soñolienta, atravesó el pasillo y se metió en el cuarto de servicio.

Una camarera, de nombre Ute Gross, ya sabía lo que debía hacer cuando tomara el turno de las ocho de la noche. Encontraría a Eigendorf escondido al lado de un armario donde se guardaban las toallas, lo metería dentro de la bolsa de lona del carro de la ropa sucia que llevaría hasta allí, y lo cubriría con toallas supuestamente usadas, que iba a tomar del armario, y así escondido lo sacaría del piso por el ascensor de los huéspedes, ya que el hotel no tenía ascensor de servicio.

La operación de sacar ropa sucia era desusada a esas horas en que el oficio de las camareras consistía únicamente en tender las camas; pero tal como lo habían convenido los dos en las furtivas conversaciones sostenidas a retazos durante los tres días anteriores mientras ella arreglaba la habitación, iba a ayudarlo, jugándose los riesgos. Al fin y al cabo, era poco lo que los agentes de la Stasi podrían hacer contra ella en territorio ajeno.

Fue así que a la hora convenida Ute apareció en el pasillo arrastrando el carro que llevó hasta el cuarto de servicio, y volvió con él para detenerse frente al ascensor, con la bolsa de lona llena hasta el tope de toallas revueltas. Pulsó el botón ante la mirada bastante indiferente de los agentes, que seguían conversando entre bostezos, y les sonrió sin hablarles. Llegó el ascensor, y cuando ella empujó el carro hacia adentro, las ruedas se trabaron, por lo que uno de los agentes la ayudó. Entonces, bajó hasta el sótano con su carga.

Este agente, llamado Lorenz Faust, recibió doble castigo cuando de regreso en Berlín Oriental se abrió una investigación sobre el caso, y él mencionó en su declaración que había ayudado a empujar el carro de las toallas sucias sin saber que dentro iba escondido el traidor. Ya Ute había aparecido en la primera plana del Bild, muy sonriente, contando toda la historia. Declaró que Eigendorf le había simpatizado desde el principio; después, llegarían a establecer una relación amorosa. El médico, y el jefe del grupo de vigilancia de la Stasi, encubierto como masajista, fueron degradados y condenados a trabajos forzosos.

El portero Richter fue dado de baja del equipo, tras ser sometido a intensos interrogatorios, y no fue a la cárcel porque su padre era en Berlín secretario político del PSUA en el distrito de Pankow.

Erich Mielke ostentaba el título de presidente del Dynamo Berlín. Las dos pasiones de su vida eran la caza y el fútbol, además del espionaje, por supuesto. Vigilaba estrechamente a sus jugadores en las giras al exterior, y consciente de los lujos que tendrían al otro lado si decidían escaparse había inventado un sistema mediante el cual premiaba sus hazañas con estímulos materiales, algo con lo que el ala ortodoxa del PSUA no estaba de acuerdo. Pero eran asuntos que él no permitía que nadie llevara a las reuniones del Buró Político, del que era uno de sus miembros más poderosos. Estos estímulos iban desde pisos amueblados, vacaciones en chalets en la montaña y en la playa, y autos occidentales cuando se trataba de hazañas mayores; y canastas de víveres, televisores a colores y bicicletas deportivas para las hazañas menores.

Así que tomó personalmente en sus manos el caso del desertor, que sentía como una traición no sólo a la RDA y al partido, sino a él mismo. Eigendorf era la estrella de máximo resplandor en el Dynamo Berlín. Los cronistas deportivos del lado occidental lo llamaban "El Beckenbauer Rojo", y Mielke se había esmerado en cortejarlo como a ningún otro, ofreciéndole premios por encima de la cota normal; entregarle un Lancia, por ejemplo, o haberlo invitado a una recepción ofrecida por Erich Honecker con motivo de una visita oficial de Leonid Brezhnev en 1978. Esa vez, Eigendorf apareció fotografiado entre los dos líderes sonrientes, que le ofrecían la mano al mismo tiempo. En consecuencia, Mielke organizó la persecución con obstinada constancia, como si se tratara de una partida de caza en su cuota preferido de Fürstenwalde, en las cercanías de Berlín.

Eigendorf tenía 26 años en el momento de su muerte. Pasadas las once de la noche del sábado 5 de marzo de 1983, su automóvil Alfa Romeo fue a estrellarse contra un árbol en las cercanías de la ciudad de Braunschweig, donde jugaba para entonces con el equipo local, después que otro vehículo situado en un talud al borde de la carretera encendió de repente sus faros, puestos en alto, y lo deslumbró, según el testimonio del mecánico de un taller vecino, que trabajaba a deshoras en la reparación de un tractor. El conductor del otro automóvil nunca apareció. Ahora se sabe que aquel automóvil era un Mercedes comprado de segunda mano en Hannover, y conducido por un hombre que ingresó desde Dinamarca, con un pasaporte alemán occidental expedido a nombre de Peter Lindemann. Otro agente al volante de un Ford Taunus de alquiler, que seguía a Eigendorf, utilizó un *walkie-talkie* para darla a este hombre el aviso de que el futbolista se aproximaba al punto cero.

Esa tarde Eigendorf había asistido al partido que su equipo jugaba contra el Bochum, pero se quedó en la banca por disposición del entrenador, que no lo veía en forma. Tras el encuentro, se juntó con algunos seguidores y bebió unas cuantas cervezas. A las nueve de la noche pasó por la casa de su profesor de vuelo, Helmut Vogel, con quien al día siguiente tenía previsto volar hasta la isla de Helgoland en el mar del Norte, según la ruta de ida y regreso que marcaron en el mapa. Eigendorf tomaría el mando de la avioneta Cessna monomotor, pintada de blanco y azul, que recientemente había comprado. Le faltaban cien horas de vuelo para obtener su licencia. Bebieron algunas cervezas —hay que decir que Eigendorf estaba tomando demasiadas cervezas, más de las que debería un centro delantero o un piloto en busca de su licencia— y no tardaron en despedirse porque debían estar en la pista a las siete de la mañana, la hora a partir de la cual el reporte meteorológico anunciaba cielos despejados. Entonces, Eigendorf subió a su Alfa Romeo, y a los pocos minutos ya se había estrellado.

La policía calcula que corría a 120 kilómetros por hora, una velocidad habitual en él aún en los tramos cortos, como era ir de la casa de su profesor de vuelo a la suya, distante apenas doce kilómetros; y ese hábito de alta velocidad había sido tomado en cuenta por el conductor del Mercedes que lo esperaba con toda paciencia en lo alto del terraplén al final de la curva para deslumbrarlo con los focos, sabiendo que no le sería posible recuperar el control al frenar imprevistamente. El Alfa Romeo dio tres vueltas de campana antes de romper la cerca de contención y chocar contra el árbol.

En julio de 1982 el Kaiserslautern traspasó a Eigendorf por la suma de un millón de marcos al Eintracht Braunschweig, donde cobraría dos millones de marcos anuales. Ute la camarera lo siguió a Braunschweig. Pero la mala suerte se cebó en él. Cayó lesionado en los primeros entrenamientos y tuvo que ser operado de la rodilla izquierda. Fue cuando comenzó a beber más de la cuenta, cervezas, y cognac; y por las cartas que escribía a su madre, interceptadas por la Stasi y debidamente fotocopiadas, nos damos cuenta de que estaba muy lejos de considerarse un hombre feliz pese a la fama, al dinero, y a su nuevo amor.

Tampoco sus años en Kaiserslautern habían sido demasiado felices. Debutó con éxito, y solía acaparar las portadas de las revistas. Era la estrella fugada del comunismo. Pero cuando pese a todo el dinero gastado se encontró con repetidos fracasos en sus planes de lograr la fuga de su primera mujer, Gabriele, y de su hijita, Sandy, que habían quedado en Berlín Oriental, se vio muy afectado emocionalmente y empezó a aflojar en el terreno, aún en los tiros de penaltis en los que siempre había sido un as. Ignoraba que Mielke en persona se empeñaba en frustrar aquellos planes, y que a sus manos iba a dar el dinero entregado a los supuestos intermediarios comprometidos en sacarlas a través de la frontera con pasaportes falsos.

Además, Eigendorf no tardó en caer bajo la seducción por los autos de lujo, que Mielke le había inoculado, y adquirió la manía de cambiarlos constantemente, para deleite de los agentes vendedores. Su otra afición eran los aviones deportivos. Estaba también la tendencia a la bebida, y así fue comprometiendo cada vez más sus obligaciones como jugador profesional. El entrenador del Kaiserslautern, uno de los más duros de la Bundesliga, Karl-Heinz Feldkamp, llegó a sancionarlo cuando dejó de asistir con regularidad a los entrenamientos, o se presentaba tarde, con señales de la larga juerga de la noche anterior en el rostro desvelado. Cuando fue vendido al Eintracht Braunschweig, el Kaiserslautern aparentó resistirse a la negociación, pero se estaba quitando más bien un peso de encima.

Fuera de Gabriele y Sandy, en Berlín Oriental habían quedado su padre Jörg, profesor de educación física, y su madre Ingeborg, que trabajaba en un jardín de infantes. La Stasi estrechó el cerco sobre todos ellos, aunque la verdad es que Eigendorf no tenía mucho interés en rescatar a sus padres, que de todos modos no estaban dispuestos a correr ninguna aventura, como se sabe por las cartas de Ingeborg a su hijo, interceptadas también por la Stasi.

En cuanto a Gabriele, un agente encubierto llamado Lothar Homann —uno de los "Romeos" de la división E— recibió el encargo personal de Mielke de seducirla. Homann era un presentador de la televisión, célebre por bien parecido, y cumplió a cabalidad su tarea. Gabriele trabajaba en un modesto puesto como catalogadora en la Biblioteca de la Universidad Humboldt, y Homann empezó a visitar la biblioteca fingiéndose interesado en temas de Centroamérica para un reportaje que debía conducir sobre la Revolución Sandinista en Nicaragua. Gabriele recibió instrucciones de atenderlo, a pesar de que no estaba dentro de sus funciones; empezaron a salir juntos, y mientras tanto él le enviaba costosos regalos, incluyendo un abrigo de piel para su cumpleaños, perfumes franceses, un refrigerador, todo salido de la mano milagrosa de Mielke. Se hizo su amante, consiguió que se divorciara, y se casó con ella.

Los "Romeos" eran instruidos en algunos casos a casarse con sus "objetivos", aunque las actas matrimoniales se hacían desaparecer después. En este caso, Homann se había enamorado realmente de Gabriele, y pidió permiso para consumar un matrimonio real. Mielke no se opuso. No tenía nada contra Gabriele, y su objetivo había sido cubierto con creces. Paso a paso siguió las reacciones de Eigendorf antes las noticias de los amoríos de su mujer, que él se encargó de que recibiera puntualmente, y no pocas veces escuchó una y otra vez en la soledad de su despacho las cintas con las conversaciones en que, desesperado, el futbolista pedía noticias a su madre sobre aquel desastre imprevisto de su vida conyugal. Ya no se diga la borrachera desconsolada de días que siguió a la boda, y que los agentes de Mielke en Braunschweig le reportaron sin perder detalles. Era su caso personal, y lo controlaba sin intermediarios.

Mielke era maestro en organizar trampas para sus víctimas, y solía dibujar de previo en una hoja de papel satinado, usando una pluma fuente de punta gruesa que cargaba con fruición en el tintero, todos los pasos necesarios para emprender lo que él llamaba "sus partidas favoritas de caza". Un sacerdote católico de Magdeburg fue la pieza a cobrar en una de esas partidas. Los informes lo señalaban como un agitador que aprovechaba sus sermones para denigrar al socialismo de manera velada, y decidió cortarle las alas. Hizo trasladar desde Berlín a Magdeburg a una de sus agentes de la llamada división E (E por Erótica), que figuraba como corista de la Ópera Cómica; la muchacha, de una belleza turbadora, se presentó al cura como separada recientemente de su marido, en busca de consuelo espiritual, y no tardó en hacerle perder la cabeza. Establecieron una encendida relación clandestina, y una tarde en que se encontraban ambos en la casa donde se citaban, proveída por la propia Stasi, irrumpió el supuesto marido pistola en mano, y puso al cura desnudo en la calle, donde era aguardado por un contingente de fotógrafos y camarógrafos. Mielke, escondido tras los vidrios polarizados de una supuesta camioneta de reparto, vigilaba la escena.

No le bastó, sin embargo, lograr que Gabriele abandonara a Eigendorf por otro. La cacería apenas había comenzado. Ya tenía a tres de sus agentes más fogueados en Kaiserslautern siguiendo cada uno de sus pasos. Según puede verse ahora en los archivos secretos, dedicó al caso docenas de oficiales de alto rango, colaboradores especiales y soplones. En los cuarteles de la Stasi en Berlín había toda una oficina llamaba "la cueva de Marco Bruto" — el nombre en clave que Eigendorf tenía en los expedientes — donde se daba seguimiento constante al caso. Se han encontrado siete cajones marcados bajo este nombre, que contienen informes transcritos a máquina, carretes de cinta con conversaciones telefónicas grabadas, recortes de prensa, fotografías tomadas con teleobjetivo desde las graderías de los estadios, o desde algún punto en los bosques vecinos a alguna de las pistas de aviación que Eigendorf utilizaba; también hay fotos de los bares que frecuentaba, de las casas de sus amigas, y de las amigas mismas, con sus respectivas fichas, así como videos con partidos del Kaiserslautern o del Eintracht Braunschweig, que Mielke veía enteros en el televisor de su despacho.

Según la declaración de su asistenta Erika Lühr, quien vive ahora retirada en Potsdam, cuando Eigendorf aparecía anotando un gol, retrocedía la cinta innumerables veces; y cuando no lo conseguía, le costaba evitar su cara de disgusto. Una tarde, recuerda ella, la llevó frente al televisor, donde había dejado congelada la imagen que mostraba un primer plano de Eigendorf. Vestía la camiseta del Eintracht Braunschweig, con el emblema del aguardiente Jägermeister.

—Mire usted—le dijo—. En esa camiseta ni siquiera figura el nombre del equipo. Lo que tiene es la etiqueta de una bebida embriagante, nociva para la juventud.

—Es el capitalismo—comentó ella, con firmeza.

Él sacudió la cabeza, en inquieta señal de asentimiento.

Erika sabía que su jefe era un buen bebedor de whisky, sin excesos, aunque delante de sus subalternos se presentara como enemigo rotundo del alcohol. Sabía también que en Pankow, donde vivía, acostumbraba recibir a los visitantes extranjeros en un modesto apartamento que daba a la calle, al lado del garaje, y pretendía que aquella era toda su casa. Su mujer, Matilda, aparecía en escena durante estas visitas para preparar el café en la pequeña cocina visible desde la sala, y llevaba ella misma la cafetera, las tazas, el azúcar y las galletas, todo de una calidad común. Mielke y su esposa despedían al visitante en el porche, y luego abandonaban la tramoya por la puerta de atrás, a través de un sendero de grava entre los setos que los llevaba a su verdadera casa de dos plantas, donde se podía jugar al boliche y al billar, y había una piscina bajo techo, sauna, un gimnasio inútil, porque Mielke no hacía ningún ejercicio, y un cine privado de veinte plazas en el que solía ver musicales norteamericanas. "Cantando bajo la lluvia" era su película preferida.

Para enero de 1983 Mielke había desechado ya varios de los planes diseñados por él mismo para dar caza a Eigendorf. Uno de ellos, el que más lo seducía, le pareció demasiado riesgoso a su equipo técnico. Consistía en implantar una dosis de explosivo plástico en el interior de una cámara de televisión que el supuesto camarógrafo, dotado de falsas credenciales, abandonaría al iniciarse una de las habituales conferencias de prensa en las que Eigendorf participaba al cierre de los partidos. El plan fue desechado porque en el caso de que se consiguiera matar a Eigendorf, la explosión arriesgaba la vida de otros jugadores, técnicos y periodistas; y al ser trazado hasta sus orígenes por las autoridades policiales de Alemania Occidental, se volvería un asunto que podría costarle su propia cabeza. Según puede desprenderse de la lectura de los documentos sobre el caso, Mielke nunca había solicitado autorización al Buró Político para cazar a Eigendorf.

A esas alturas conocía en todos sus detalles los hábitos diarios de su presa, y no le fue difícil idear un plan alternativo que no representara mayores peligros. El plan de caza definitivo estuvo listo pronto, y los agentes que iban a participar en él empezaron a desplazarse en secreto hacia el otro lado, dotados de un código especial de comunicación con el cuartel general de la Stasi en Berlín. Cuando cada uno de ellos estuvo ubicado en su posición, y ya el Mercedes había sido comprado en Hannover, un agente más, experto en mecánica automotriz, fue despachado para cambiar los focos delanteros por unos de mayor potencia, que al ser manipulados a la posición alta, no dejaran a la víctima ninguna escapatoria. Entonces, se inició el viaje del cazador mayor. No era sino el propio Mielke quien iba a ponerse al volante del Mercedes.

Se trasladó a Leningrado en un vuelo militar ciego, y desde allí por tren hasta Helsinki, con un primer pasaporte falso de Alemania Federal expedido a nombre de un Klaus Zippert, de oficio tapicero, quien, para los efectos de la trama, viajaba acompañado por su esposa, Sabine Becker, en verdad una agente de la Stasi en la estación local. Los pasaportes de ambos tenían sellos de entrada en la frontera polaca, y se les suponía de vacaciones en la Unión Soviética. La fotografía utilizada para este pasaporte, el mismo que Mielke utilizó para volar a Oslo, siempre en compañía de su falsa esposa, lo muestra con los cabellos teñidos de rubio, y con unas gafas de miope. La esposa tiene aproximadamente la misma edad que él, y con su alta moña y el ligero maquillaje, luce como una señora respetable y próspera, porque Mielke estaba siempre detrás de los más mínimos detalles, y para él los asuntos de identidad eran claves en el desarrollo y remate de una operación exitosa.

Cuando en Oslo cambió de nuevo el pasaporte, y abandonó la identidad de Klaus Zippert para asumir la de Peter Lindemann, ingeniero mecánico nacido en Trondheim, Noruega, en 1930, y posteriormente nacionalizado alemán occidental, se impuso cambiar su apariencia a la de alguien que tenía diez años menos que su edad real, lo cual demandaba un trabajo a fondo. Era un asunto de virtuosismo personal. En la casa de seguridad donde acampó la noche antes de su partida hacia Copenhagen, él mismo dirigió al equipo de peluqueros y maquillistas, llegados también de Berlín. Se empeñó, además, en aprenderse una historia de vida que llevó hasta las más estrictas minucias, como el nombre de los compañeros de su promoción en la facultad de Ingeniería de la Universidad de Bergen, donde supuestamente había estudiado, algo que nunca nadie habría de preguntarle. Le valía que tenía un conocimiento básico del noruego.

En esta nueva foto de pasaporte aparece más delgado y como se ha dicho, más joven, provisto de lentes de contacto y de una cabellera negra. Las corbatas italianas eran uno de sus vicios, y aquí lleva una que no es precisamente de buen gusto, y por las solapas mal acomodadas se ve que el traje era pobre y mal cortado, aunque él creyera lo contrario. Cuando la mañana del miércoles 2 de marzo de 1983 traspasó los controles aduaneros del aeropuerto de Hamburgo, viajaba solo y cargaba en su cartapacio una copia del falso contrato de consultor temporal con la AG Rosenheim, una compañía fabricante de volquetes de ferrocarril con domicilio en Hannover. La agente que lo había acompañado a título de esposa hasta Oslo, viajaba ahora por separado, en el mismo avión, con una nueva identidad, y no lo perdió de vista hasta que fue recogido en el estacionamiento del aeropuerto por los contactos locales designados.

La noche del 3 de marzo Mielke estaba ya instalado en una habitación con vista a la carretera en el Hotel Esser de Braunschweig. Desde la ventana, en el paisaje neblinoso, se divisaban las casas de techo de pizarra, todas iguales, alineadas al otro lado. Una de ellas, la número 7, era la de Eigendorf, y oculto tras la cortina desde casi al alba vigiló de manera constante la actividad de la casa, cuya luz en el porche había pasado ardiendo toda la noche. Ocasionalmente, usaba unos prismáticos. Esta vigilancia no le correspondía de ninguna manera, pero la realizó con avidez y constancia, apenas interrumpida por un par de viajes al baño. Vio a Ute sacar la basura después de la siete, la vio subir al coche para ir por pan y huevos a la despensa varias cuadras al sur, y una hora más tarde vio aparecer a Eigendorf vestido con una sudadera marrón; lo vio plantarse primero frente al porche para practicar sus ejercicios de calentamiento, y luego trotar por la vereda hasta perderse en la esquina, cuatro casas más allá; luego lo vio reaparecer bordeando un prado donde pastaba una vaca solitaria, convertirse en una figura distante que ascendía a ritmo seguro por el camino, y perderse por fin tras la cortina de álamos que delimitaba el prado. Ya no esperó su regreso.

Pero al día siguiente concurrió al estadio para presenciar el juego entre el Bochum y el Eintracht Braunschweig, sin que tal cosa formara parte del plan. Otros agentes asignados al operativo llegaron por su cuenta y ocuparon asientos vecinos al suyo. Ya sabemos que Eigendorf no jugó esa tarde, y Mielke no pudo verlo esta vez ni de lejos, porque ni siquiera salió al terreno de juego. Antes de terminar el partido se retiró, y lo mismo hicieron sus hombres, en momentos distintos y por puertas distintas.

Ya tenía la información de que Eigendorf se juntaría en el bar con sus amigos, que luego iría a casa de su profesor de vuelo, y que invariablemente regresaría a su casa para cenar con Ute. Sabía lo que iban a comer esa noche porque Ute había consultado por teléfono la receta con una amiga: estofado de ternera en salsa de hongos, y puré de camote metido al horno.

De modo que Mielke contaba con cerca de tres horas vacías, e invitó a cenar al agente destinado a acompañarlo al lado del volante y quien, esa misma noche, concluida la cacería, entregaría el Mercedes a otro agente que debía guardarlo por un tiempo prudencial antes de venderlo, una vez repuesto el sistema original de focos delanteros. Mielke volaría a la mañana siguiente a Varsovia, vía Hannover, de regreso a Berlín.

Mielke se empeñó en que este acompañante fuera Lothar Homann, el "Romeo" que se había casado con Gabriele. Resultaba algo fuera de lo común, porque ya se sabe que Homann no figuraba como un agente de línea, y por tratarse de una cara conocida, el trabajo de cambio de identidad tuvo que haber tomado el triple de trabajo a los especialistas; pero Mielke necesitaba un testigo personal de su hazaña, alguien que al mismo tiempo tuviera que agradecerle después la oportunidad de presenciar el momento final de la cacería, cuando la pieza sucumbe ya sin remedio; porque si para averiguar estaba, Mielke sabía de sobra que Homann nunca había dejado de guardar celos desenfrenados contra Eigendorf, de los que Gabriele se quejaba ante sus amigas.

Técnicamente el papel de Homann estaba determinado en los reglamentos. Un agente comprometido en una acción encubierta debía contar con otro, cuando así fuera posible, para darle cobertura y, de ser factible, facilitar su escape. Lo que no preveían de ninguna manera los reglamentos era que alguien ya involucrado en un papel específico, asumiera otro de naturaleza completamente diferente en el mismo caso. Y menos aún que el propio jefe supremo de la Stasi actuara como ejecutor principal.

Mielke eligió para la cena un pequeño restaurante italiano, muy exclusivo, ubicado cerca del lugar de los hechos, llamado Le baruffe chiozzotte, y puso al teléfono al mismo Homann a hacer las reservaciones. Es curioso encontrarse con la evidencia de que esa noche se vistió como lo hacía en las grandes ocasiones, pero lo hizo después de concluida la cena en aquel restaurante exclusivo, para lo cual regresó al hotel. La cacería era la gran ocasión.

Había traído consigo uno de sus trajes de paño oscuros, agujereado en la pechera por los pasadores de las condecoraciones, de las que obviamente prescindió, y se puso además un sombrero de fieltro, también oscuro, y unos guantes de piel de ante, igualmente oscuros. La corbata, de la última partida que uno de sus agentes le había comprado en Milán, tenía un diseño de diminutos barcos de vela en blanco sobre un fondo azul, y la camisa de cuello y puños almidonados, también italiana, demasiado larga de las mangas, había sido ajustada con una sisa a la altura de los antebrazos, un problema usual con sus camisas.

Sabía que aquello no representaba ningún riesgo porque no quedarían rastros de su vestimenta; no pensaba dejar su maleta olvidada en el hotel. Había meditado mucho sobre la magnitud de los riesgos. No se trataba de activar explosivos, ni de disparar un arma con mira telescópica, sino simplemente de manipular los faros de un Mercedes cuando la dieran el aviso preciso, mientras Homann, sentado a su lado, lo observaba. Luego, bajando del talud en retroceso, manejaría apenas unos tres kilómetros hasta un punto cercano a un cruce ferroviario, donde otro vehículo iba a recogerlo.

Asi fue como las cosas ocurrieron. El Mercedes se estacionó media hora antes sobre el talud, al final de la curva, y Mielke puso a bajo volumen una estación de radio que transmitía un programa de canciones de Edith Piaff. A su lado en el asiento tenía el *walkie-talkie*, a través del cual el agente que esperaba la salida de Eigendorf de casa de su profesor de vuelo, establecía contactos periódicos en la clave convenida. Vogel, el profesor de vuelo era Lucio, y Eigendorf, según la vieja designación, Marco Bruto.

De modo que cuando recibió el aviso de que Marco Bruto enfilaba hacia la carretera saliendo de la casa de Lucio, con el agente siguiéndolo a diez metros de distancia en el Ford Taunus, Mielke calculó que sólo faltaban unos pocos minutos para que apareciera al final de la curva, y entonces se aferró firmemente al timón, como si fuera a iniciar una larga carrera, y al ver acercarse raudos los focos por la carretera solitaria accionó la palanca para provocar el súbito deslumbre que hizo a Eigendorf llevarse el brazo a los ojos y perder así el control del vehículo que fue a dar las tres volteretas sobre el pavimento antes de estrellarse contra el árbol.

Pero Mielke no lo imaginó así desde lo alto del talud. Lo imaginó con los ojos fijos, muy abiertos, asombrado bajo el hechizo de la intensa luz como los ciervos que alzando la cabeza se quedan petrificados delante del cazador.

Managua, Nicaragua
julio. 2000

Aparición en la fábrica de ladrillos

Para Danilo Aguirre

Siempre estará regresando a mi mente la noche aquella de la aparición que cambió mi destino, ahora que no tengo ni silla de ruedas para ir por lo menos de un lado a otro dentro del templo como yo quisiera, a doña Carmen se la prometen de la Cruz Roja y nunca cumplen, doña Carmen, la más valedera entre mis feligresas aunque le sobran los años, ella me trae el bocado cuando puede, y me asea, sentado como quedé para el resto de mi vida en este taburete de palo no por ningún accidente que me hubiera dejado paralítico ni nada por el estilo, sino porque de pura gordura me fui inmovilizando hasta no poder levantarme más, con sólo el esfuerzo de incorporarme ya se manifiesta el ahogo del corazón, gordo del cuerpo y macilento de la cara, un enfermo con exceso de peso así como le ocurrió a Babe Ruth que igual padeció de males cardíacos, muy propio de cuartos bates engordarse demasiado pues es sabido que la potencia de un *slugger* para enviar una noche la bola a cuatrocientos pies más allá de la cerca, donde comienza la oscurana, depende de la alimentación apropiada, y por esa razón en tiempos de mi fama me sobraba que comer, los propios directivos del seleccionado nacional me llevaban las cajas de alimentos a mi casa, además de suplementos dietéticos como Ovomaltina y Sustagen.

Pero eso ya todo acabó, todo se fue en un remolino de viento revuelto con la basura, y lo que me queda es la grasa de los viejos tiempos después que se me aflojaron y se consumieron los músculos, una reserva inútil que se me va agotando lentamente. Una vez, cuando todavía podía caminar, aunque ya con paso lerdo, me fui al Mercado Oriental con mi alforja de bramante a regatear mis compritas, y una carnicera que vendía cabezas de cerdo en la acera, al verme pasar se asoma entre las cabezas colgadas de los ganchos, se pone las manos en el cuadril, muy festiva, y comenta a grandes gritos: "¡Ese gordiflón que va allí rinde por lo menos una lata de manteca!". Y viene otra de edad superior, que está cuchillo en mano pelando yucas, tapada con un sombrerón de vivos colores, y le dice: "¿Qué no te fijás que gordo mantecudo fue nada menos que un gran bateador?"; a lo cual la de las cabezas de cerdo le contesta: "Verga me valen a mí los bateadores", y las dos se quedaron dobladas de la risa.

Tenía catorce años de edad en 1956 cuando ocurrió la aparición. Ya para entonces el béisbol era el motivo único de mis desvelos, bateando hasta piedras en los patios y en las calles, o naranjas verdes robadas de las huertas que se reventaban al primer estacazo, dueño además de una manopla de lona cosida por mí mismo, y tampoco me alejaba del radio de don Nicolás, el finquero cafetalero que vivía en la esquina frente a la fábrica de ladrillos "Santiago" de Jinotepe donde yo trabajaba, jugara quien jugara oyendo los partidos de la liga profesional que narraba

Sucre Frech, ya no se diga los de la Serie Mundial entre los Yankees de Nueva York y los Dodgers de Brooklyn que narraba Bob Canell en la Cabalgata Deportiva Gillette, una voz llena de calma hasta en los momentos de mayor dramatismo, que se acercaba y se alejaba como un péndulo debido a que las estaciones locales tomaban de la onda corta esas transmisiones, y entonces, cuando el péndulo se alejaba, solo don Nicolás podía oír lo que la voz decía porque pegaba la oreja al radio instalado en su sala, y nos lo repetía a todo el muchachero descamisado que se juntaba a escuchar el partido en la acera.

Pero confieso que mi peor pasión eran las figuras de jugadores de las Grandes Ligas que venían en sobrecitos de chicles sabor de pepermín y canela, y algunas de esas figuras, como las de Mickey Mantle o Yogi Berra alcanzaban un valor estratosférico en los intercambios, mientras otras eran despreciadas y uno podía hallárselas tiradas en la cuneta, como las Carl Furillo o Salvatore Maglie, por ejemplo, una injusticia, no sé por qué, tal vez porque jugaban en los Dodgers y nosotros los del barrio de la ladrillería íbamos con los Yankees; pero entre esas injusticias estaba también despreciar la figura de Casey Stengel, el propio manager de los Yankees, y en este caso quizás porque se le veía como un viejo agriado y a veces chistoso que solo se pasaba sentado en la madriguera vigilando el juego, dando órdenes y apuntando en su libreta, y no había manera de hacer que nadie cambiara su opinión aunque mil veces yo explicara que se trataba de un verdadero sabio que ya había llevado a los Yankees a ganar varios campeonatos mundiales seguidos, prueba más que clara de que en el béisbol la sabiduría no siempre despierta admiración, sino por el contrario encumbra más tumbar cercas, robar bases, y engarzar atrapadas espectaculares.

Todavía tengo bien presente lo que el viejo Casey Stengel había declarado a los reporteros antes de comenzar el quinto juego de la Serie Mundial de ese año de 1956 de que estoy hablando: "Abro con Don Larsen y no voy a cambiar de pitcher, ni mierda que voy a ensuciarme los zapatos caminando hasta el montículo para pedirle la pelota, porque él va a lanzar los nueve *innings* completos, y óiganme bien, cabrones, Don los tiene de este tamaño, así, como huevos de avestruz, y yo me corto los míos sino gana este juego". Y tenía toda la razón. Después que en el segundo partido de esa Serie Mundial Don Larsen no había podido siquiera completar dos *innings* en el montículo, expulsado por la artillería inclemente de los Dodgers, salió de las sombras de la nada para lanzar aquella vez su histórico juego perfecto; y apenas colgó el último *out*, don Nicolás, entendido como pocos en béisbol al grado que llevaba su propio cuaderno de anotaciones y conservaba muchos récords en su cabeza, se salió a la acera y muy emocionado nos dijo: "Vean qué cosa, el más imperfecto de los lanzadores viene y lanza un juego perfecto".

La aparición ocurrió una noche de noviembre, recién terminada esa Serie Mundial que otra vez ganaron los Yankees. Había salido a orinar al patio de la ladrillería como lo hacía siempre, dejando que el chorro se regara sobre el cercado de piñuelas, desnudo en pelotas y calzado nada más con unos zapatones sin cordones porque en el encierro de la bodega donde dormía el sofoco era grande y prefería acostarme sin ningún trapo en el cuerpo, respirando a fuerza la nube de polvo gris suspendida día y noche en el aire ya que aquella era la bodega donde almacenaban las bolsas de cemento Canal para la mezcla de los ladrillos. Y así desnudo estaba orinando sin acabar nunca, con ese mismo ruido grueso y sordo con que orinan los caballos, cuando sentí una presencia detrás de mí, y sin dejar de orinar volteé la cabeza, y entonces lo reconocí. Era Casey Stengel. Bajo la luna llena parecía bañado por los focos de las torres del Yankee Stadium.

Su uniforme de franela a rayas lucía nítido, y los zapatos de gancho los llevaba bien lustrados, pues ya ven que no le gustaba ensuciárselos. Y allí en el patio donde se apilaban los ladrillos ya cocidos, me volví hacia él, afligido de que me viera desnudo y fuera a regañarme por indecente; pero pensándolo bien, mi sonrojo no tenía por qué ser tanto, la indecencia está más que todo en la fealdad; yo no era ni gordo ni flojo como ahora, una bolsa de pellejo repleta de grasa que se va vaciando, sino un muchacho de músculos entecos, desarrollados en el trabajo de acarrear las bolsas de cemento a la batidora, vaciar la mezcla en los moldes y mover el torniquete de la prensa de ladrillos.

Sus ojos celestes me miraban bajo el pelambre de las cejas, y encorvado ya por los años dirigía hacia mí la nariz de gancho y la barbilla afilada, cabeceando como un pájaro nocturno que buscara semillas en la oscuridad. Mantenía las manos metidas en la chaqueta de nylon azul, y la gorra con el emblema de los Yankees embutida hasta las orejas, unas orejas sonrosadas que se doblaban por demasiado grandes. "Tu destino es el béisbol, muchacho, un destino grande", me dijo a manera de saludo, con una sonrisa amable que yo no me esperaba, y luego se acercó unos pasos, y así desnudo como estaba, me echó el brazo al hombro. Sentí su mano fría y huesuda en mi piel que sudaba, cubierta del polvo del cemento que también tenía metido en el pelo. "¿Por qué?, no me lo preguntes; es así. Pero si insistes te diré que tienes brazos largos para un buen *swing*, una vista de lince, y una potencia todavía oculta para tumbar cercas que ya te vendrá comiendo bien, huevos, leche, avena, carne roja. ¿Quieres saber más? Cuando Yogi Berra quiso que le dijera por qué estaba yo seguro de que sería un gran *catcher*, le respondí que no me preguntara estupideces, a las claras se veía que su cuerpo estaba hecho para recibir lanzamientos, lo mismo que el de un ídolo en cuclillas".

Desde que se me apareció Casey Stengel supe que mi destino era darle gloria a Nicaragua con el tolete al hombro, porque se acordarán que cada vez que me paré en la caja de bateo hice que las ilusiones levantaran vuelo en las graderías como palomas saliendo del sombrero de un ilusionista, miles de fanáticos de pie, roncos de tanto ovacionarme mientras completaba la vuelta al cuadro después de cada cuadrangular. Mi nombre, escribió el cronista Edgard Tijerino Mantilla, pertenece a la historia, y mis hazañas están contadas en todos esos fólderes llenos de recortes, fotos y diplomas que se apilan allí, al lado del altar, porque cuando perdí mi casa del barrio de Altagracia lo único que pude rescatar fueron mis papeles, y dos de mis trofeos, esos que están colocados al lado de las cajas de fólderes; aquel trofeo dorado, que parece un templo griego sostenido por cuatro columnas, me lo otorgaron cuando me coroné campeón bate en la Serie Mundial de diciembre de 1972 que se celebró en Managua, la serie en que pegué el jonrón que dejó tendido al equipo de Cuba, hasta entonces invencible.

A los jugadores de la selección de Nicaragua nos tenían alojados esa vez en el Gran Hotel, y cuál es mi susto que la noche del triunfo contra Cuba tocan con mucho imperio la puerta de mi cuarto, yo ya acostado porque temprano teníamos entrenamiento, y voy a abrir y es Somoza en persona acompañado de todo su séquito, detrás de él se ven caras de gente de saco, y caras de militares con quepis, y yo corro a envolverme en una sábana porque igual que la vez que se me apareció Casey Stengel me encontraba desnudo tal como fui parido, y entra Somoza y detrás de él las luces de la televisión, se sienta en mi cama, me pide que me acomode a su lado y los camarógrafos nos enfocan juntos, yo envuelto en la sábana como la estatua de Rubén Darío que está en el Parque Central, él de guayabera de lino y fumando un inmenso puro, y delante de las cámaras me dice: "¿Qué querés? Pedime lo que querrás". Y yo, después de mucho cavilar y tragar gordo, mientras él me aguarda con paciencia sin dejar de sonreírse, le digo: "General Somoza, quiero una casa".

Esa casa prefabricada, de dos cuartos, un *living* y un *porche* ya la tenían lista de sólo instalarle la luz en uno de los repartos nuevos que no se cayó con el terremoto que desbarató Managua ese mismo diciembre, fui a verla varias veces con mucha ilusión y me prometieron que me la iban a entregar de inmediato, pero todo se disolvió en vanas promesas con el pretexto de que el terremoto había dejado sin casa a mucha gente más necesitada que yo. Entonces, tras mucho reclamar y suplicar se fue un año entero, y la propia fanaticada agradecida, aún palmada como había quedado con la ruina del terremoto, prestó oído a una colecta pública que inició La Prensa para regalarme mi casa, y unos llevaban dinero, otros una teja de zinc, otros bloques de cemento, y allí en mis fólderes tengo la foto del periódico donde el doctor Pedro Joaquín Chamorro me está entregando las llaves. Pero esa es la casa que perdí porque una hermana por parte de padre, de oficio prestamista, a quien se la confié cuando tuve que emigrar a Honduras, ya que nadie estaba con cabeza suficiente tras el terremoto para pensar en béisbol, la vendió sin mi consentimiento alegando que me había dado dinero en préstamo, es decir, que me estafó, y otra vez quedé en la calle.

Hará dos años que me presenté al Instituto de Deportes y tras mucho acosarlos escucharon mi súplica de que me permitieran entrenar equipos infantiles, pues aunque fuera sentado en mi taburete podía aconsejar a los muchachitos de cómo agarrar correctamente el bate, como afirmarse sobre las piernas para esperar el lanzamiento, la manera de hacer el *swing* largo; pero me pagaban una nada, además de que los cheques salían siempre atrasados, exigían que fuera yo personalmente a retirarlos, y hastiado de tantas humillaciones mejor renuncié. ¿Qué podía hacer de todos modos con esa miseria de sueldo si ni siquiera me alcanzaba para las medicinas? Hagan de cuenta que soy una farmacia ambulante, y doña Carmen, el Señor Jesús la bendiga, se las ve negras para conseguirme en los dispensarios de caridad las que más necesito, pastor como soy de una iglesia demasiado pobre en este barrio donde las casitas enclenques se alzan en el solazo entre los montarascales y las corrientes de agua sucia, la mayor parte hechas de ripios, unas que tienen las tejas de zinc viejas sostenidas con piedras a falta de clavos, y otras que a falta de pared las cubre en un costado un plástico negro y en otro cartones de embalar refrigeradoras, de dónde van a sacar mis feligreses para facilitarme el dinero de las medicinas si a duras penas consiguen ellos para el bocado, y no sólo pasan hambre, aquí donde estoy encerrado tengo que vérmelas con las quejas que en mi condición de pastor me vienen todos los días de casos de drogadictos que golpean sin piedad a sus madres, niñas que a los trece años andan ya en la prostitución, estancos de licor abiertos desde que amanece, y yo les ofrezco el consuelo divino, aunque sé que no basta con predicar la palabra para aplacar la maldad entre tanto delito y tantas necesidades, y todavía dicen que aquí hubo una revolución.

Esa mi casa del barrio Altagracia tenía para mí un valor incalculable porque me la regaló mi pueblo de aficionados. Allí guardaba en una vitrina especial los uniformes que usé en los distintos equipos que me tocó jugar, mi uniforme de la selección nacional con el nombre Nicaragua en letras azules y el número 37 en la espalda, un número que si tuviéramos respeto por las glorias nacionales ya debería haber sido retirado para que nadie más lo usara; mis bates, incluyendo el bate con el que pegué el jonrón contra Cuba, mi guante, mis medallas, reliquias que un día debieron ir a dar a un Salón de la Fama; pero mi hermana la usurera no se conformó con vender la casa al dueño de un billar, sino que se hizo gato bravo de mis preseas, o las destruyó, nunca llegué a saberlo; y si hoy puedo conservar estas cajas de fólderes y estos pocos trofeos, es sólo gracias a que otro hermano mío, uno que después perdió las piernas en un accidente de carretera, se metió a escondidas de ella en la casa antes de que la muy lépera la vendiera, y los rescató.

Cuando se desató la guerra contra Somoza en 1979 yo era camionero. Con mil dificultades había conseguido fiado un camión y no me iba mal transportando sandías y tomates a Costa Rica, pero al arreciar los combates guardé mi camión por varias semanas esperando que se aliviara la situación que se presentaba comprometida precisamente del lado de la frontera sur; y llega el día del triunfo, contagiado de alegría pongo el camión a la orden de los muchachos guerrilleros que van entrando a Managua a fin de acarrearlos a la plaza donde se va a dar la celebración, no menos de cinco viajes hago aportando el combustible de mi bolsa, y vayan a ver lo que ocurre entonces, que gente malintencionada de mi mismo barrio que está en la plaza me acusa de paramilitar, y allí mismo me confiscan el camión, y va de gestionar para que me lo devuelven y todo en vano, no me pudieron probar lo de paramilitar, algo ridículo, y entonces me salen con el cuento de que me había tomado una foto con el propio Somoza, véase a ver, la foto aquella de la noche en que llegó por sorpresa a mi cuarto del Gran Hotel para ofrecerme como regalo lo que yo le pidiera, una promesa vana, ya dije, pero nada, caso cerrado, sentencian, y me voy entonces a la agencia distribuidora de los camiones a explicarles y no ceden, deuda es deuda alegan, me echan a los abogados en jauría, si no pagás vas por estafa a la cárcel, con lo que de pronto me veo prófugo, el robo público que me hacen del camión y después el escarnio de tener que huir de los jueces, ese es el premio que me da la revolución por haber bateado consecutivamente de *hit* en los quince juegos de la Serie Mundial de 1972, un récord que nadie me ha podido quitar todavía, el premio de los comandantes a las cuatro triples coronas de mi impecable historial. La fama que me ofreció Casey Stengel aquella noche de luna, como bien pueden ver, no fue ninguna garantía frente a la injusticia.

De no haber sido beisbolista me hubiera gustado ser médico y cirujano, pero la pobreza me estranguló, y desde pequeño tuve que ambular en muchos oficios, ayudante de panadero, oficial de mecánica, operario en la ladrillería "Santiago". "No te importe", me dijo aquella vez Casey Stengel, "yo quise ser dentista allá en Kansas City, pero mi familia era tan pobre como la tuya, y jamás pude lograrlo, encima de que para sacar muelas cariadas yo no servía". Con esfuerzo estudié por las noches y aprobé la primaria, mientras de día me afanaba en la ladrillería donde me daban de dormir; y desde que ocurrió la aparición, aún siendo poco lo que ganaba me hice cargo de mi destino y fui apartando de mi sueldo para comprar mis útiles, los *spikes*, el bate, la manopla, a costas de quedarme sin una sola camisa de domingo, para no hablar de otros muchos sacrificios. "El béisbol es como una santidad, y nada se parece más a la vida de un ermitaño", me había dicho Casey Stengel; "ya ves, tiene razón tu vecino don Nicolás: mi muchacho Don Larsen lanzó un juego perfecto siendo él imperfecto, porque creyéndose carita linda siempre le ha interesado más una noche de juerga que un trabajo a conciencia en el montículo. De modo que a ti puedo decírtelo en confidencia, hijo: ese juego perfecto de Don fue una chiripa, y te vaticino que en pocos años lo habrán olvidado. La gloria verdadera, por el contrario, es asunto de perseverancia, y cuando llega, hay que apartarse de los vicios, licor, cigarrillo, juegos de azar, y sobre todo de las mujeres, porque todo eso junto es una mezcolanza que sólo lleva al despeñadero de la pobreza. La fama trae el dinero, pero no hay cosa más horrible que llegar a ser famoso y después quedar en la perra calle". Y vean qué vaticinio, todo lo que gané, se me fue en mujeres.

No sé si ya he dicho que tengo diez hijos desperdigados, todos de distintas madres, porque en aquel tiempo de mi gloria y fama no me hacían falta las mujeres que tras una fiesta de batazos en el estadio

Sergio Ramírez

se acercaban a mí donde me vieran, y me decía una en el oído, por ejemplo, mientras bailábamos: "ando sin calzón ni nada, restregame la mano aquí sobre la minifalda para que veás que no es mentira", asuntos que recuerdo con bastante recato por mi papel que ahora tengo de pastor; y con bastante remordimiento porque a ese respecto nunca logré hacerle caso a Casey Stengel. Y por muy halagadores que todavía puedan ser esos recuerdos, que discurren ociosos en mi cerebro sin que yo lo quiera, ahora de qué me sirve, si a los casi sesenta años de edad que tengo padezco de inflamación del corazón, de artritis y de hipertensión, y sobre todo de este mal de la gordura, y entonces esas visiones de mujeres se vuelven un tormento mortal que debe ser mi castigo, mujeres de toda condición y calaña que se me entregaron, dueña una de un Mercedes Benz de asientos que olían a puro cuero, otra que me invitaba a su mansión a la orilla del mar en Casares, también aquella de ojos zarcos que vendía productos de belleza de puerta en puerta llevando las muestras en un valijín, lo mismo una casada con un doctor en leyes que se tomó un veneno por mí y por poco muere, y por fin la doncella colegiala alumna de la escuela de mecanografía que fue la que me pidió que le restregara la mano mientras bailábamos, y era cierto que andaba sin calzón ni nada.

Después que me expropiaron el camión quedé en el más completo desamparo, y entonces comenzaron a visitarme todos los días unos hermanos pentecostales que me llevaban folletos ilustrados donde aparecían a todo color en la portada escenas de familias felices, por ejemplo el esposo en overoles subido a una escalera cortando manzanas de los árboles repletos, la esposa y los niños cubiertos con sombreros de paja acarreando canastas con toda clase de frutas y verduras cosechadas en su propio huerto y unos corderos blancos con cintas en el cuello pastando en el prado verde, todo aquello bajo un sol brillante que parece que nunca se pone, un cuadro de dicha que sólo se logra por la bondad infinita de la fe, según la prédica locuaz de los hermanos que eran dos, uno de Puerto Rico y el otro de Venezuela, al Señor le importa un comino la gloria mundana, o los ardides de la fama, sentados a conversar conmigo por horas como si nada más tuvieran que hacer en el mundo que predicarme la palabra, y como si yo fuera el único en el mundo entre tanta alma atribulada al que tuvieran que convencer, y ya después me dejaron una Biblia, y cuando se dieron cuenta que la fruta estaba madura decidieron mi bautizo que fue señalado para un día domingo.

Me obsequiaron para esa ocasión una camisa blanca de mangas largas que por encontrarme tan gordo fue imposible cerrarle el botón del cuello, y una corbata negra, para que luciera con la misma catadura que siempre se presentaban ellos; alquilaron una camioneta de tina en la que me subieron con todo y taburete, y conmigo en la tina iban los hermanos predicadores y unos muchachos con guitarras que cantaron por todo el camino himnos de júbilo, y cuando llegamos a un recodo sereno del río Tipitapa junto a una hilera de sauces, más adentro de la fábrica de plywood, allí me bajaron y con todo y taburete me metieron en el río, me sumergieron de cabeza en el agua los hermanos como si se tratara del mismo Jordán, y aunque esa noche me dio una afección del pecho, y me desveló la tos, la paz interior que sentía era muy honda y muy grata porque el Señor Jesús estaba dentro de mí. Confieso que nunca me imaginé que yo fuera de la palabra, si lo que sabía era batear jonrones, para lo cual no se necesita ninguna elocuencia; pero el Espíritu Santo dispuso de mi lengua, y aprendí a predicar, por lo que los hermanos me dejaron al servicio de esta iglesia antes de partir hacia otras tierras.

Si algún fanático beisbolero de aquellos tiempos me viera metido aquí, entre estas cuatro paredes sin repellar, bajo este techo de zinc pasconeado por el que se cuelan el polvo y la lluvia, en este templo que sólo tiene cuatro filas de bancas de palo y un altar con una cortina roja que fue una vez bandera de propaganda del Partido Liberal, mis cajas de fólderes y mis trofeos en una esquina, y el catre de tijera que doña Carmen me abre cada noche para que me acueste, porque el templo es mi hogar, ese fanático que digo no creería que soy el mismo que fui, y sobre todo si llegara a darse cuenta del estado de invalidez en que he caído, al extremo de haberme defecado una noche mientras dormía, en sueños sentí como se vaciaba sin yo quererlo mi intestino, y nunca he padecido un dolor más grande en mi vida, amanecer embarrado de mi propio excremento; y ese fanático que antes me adoró sufriría una tremenda decepción, ya no se diga las mujeres aquellas que se quitaban sus prendas íntimas antes de acercarse a mí, el rey de los cuadrangulares, para que yo les palpara la pura piel desnuda debajo de la minifalda.

¿De qué me sirvió la fama, conocer el mundo, salir fotografiado en los periódicos que ahora se ponen amarillos de vejez metidos dentro de mis fólderes en las cajas de cartón? Me acuerdo de aquella noche de enero de 1970 en el estadio Quisqueya de Santo Domingo, era mi turno al bate y sonaba un merengue que tocaba una orquesta en las graderías porque íbamos perdiendo ya en el séptimo *inning* y la gente bailaba, gritaba como endemoniada, mi cuenta era de dos *strikes* con corredor en segunda y en toda la noche no le había descifrado un solo lanzamiento al *pitcher*, un negrazo como de seis pies que tiraba bólidos de fuego, me quiere sorprender con una curva hacia adentro, le tiro con toda el alma y entonces veo la bola que va elevándose hasta las profundidades del *centerfield*, más allá de los focos, más allá de la noche estrellada, disolviéndose en la nada como una mota de algodón, como una pluma lejana, y yo viéndola nada más, sin empezar a correr todavía, y hasta que ya no se divisa del todo dejo caer el bate como en cámara lenta y mientras inicio el trote alzo la gorra hacia las graderías en penumbra que ahora son un pozo de silencio al grado que hasta mis oídos llega el rumor del mar, voy corriendo las bases lleno de júbilo, paso encima del costal de tercera, erizo ya de emoción, y tengo unas ganas inmensas de llorar cuando piso el *home plate* aturdido por el resplandor de los flashes de los fotógrafos porque con esa batazo le he dado vuelta al marcador, un juego que ganamos, y entonces no es ya esa noche en Santo Domingo sino la tarde de diciembre del año de 1972 en que derrotamos a Cuba gracias al palo de cuatro esquinas que otra vez pegué y por el que me prometieron la casa que nunca me dieron, y ahora el rumor del mar son las voces de los fanáticos que se alzan incesantes desde las graderías, bulliciosas y encrespadas.

El Señor Jesús me ha puesto delante la vida y el bien, la muerte y el mal, porque muy cerca de mí está la palabra, en mi boca y en mi corazón, para que la cumpla; acepto entonces que no me debo quejar, ni darle lugar a los remordimientos. Y en la soledad de este templo sobre el que se desgrana el viento sacudiendo las tejas de zinc, sentado en mi taburete de palo, ya sé que cuando la puerta se abra sola con un chirrido de bisagras ensarradas, y en la contraluz del mediodía aparezca la figura de Casey Stengel con su cara de pájaro que busca semillas, y me diga: "¿estás listo, muchacho?", será la hora de seguirlo.

Managua, Nicaragua
febrero. 2000

La puerta falsa

A Edgard Rodríguez

Cuando Amado Gavilán subió al encordado del Staple Center en Los Ángeles la tarde del 28 de mayo del año 2005, iba a cumplir con una pelea de relleno pactada a ocho asaltos contra el filipino Arcadio Evangelista, invicto en la categoría de los pesos minimosca. Era el tercer *match* de una larga velada que culminaría a las diez de la noche con el estelar en que Julio César Chávez, el más famoso de los boxeadores mexicanos, ganador de 5 títulos mundiales en 3 categorías diferentes, se enfrentaría al welter Iván "Mighty" Robinson en lo que sería su histórica despedida del boxeo.

Muy pocos habían oído hablar de Amado Gavilán, mexicano igual que Chávez pero lejano a la fama que cubría con su cálido manto a su compatriota. A los 42 años, y a pocos pasos de su retiro de las cuerdas, el pentacampeón Chávez era dueño de un impresionante récord de 108 combates ganados, 87 de ellos por nocaut, y por eso mismo aún era capaz de colocarse como preferido en las quinielas de los apostadores, y recibir los dorados frutos de un contrato de televisión *pay-per-wiew* costa a costa, como esa noche.

Sergio Ramírez

Por el contrario, el magro manto que cubría a Gavilán era el anonimato. Apenas un año menor que Chávez, su récord enseñaba que había subido 41 veces al cuadrilátero para perder en 32 ocasiones, 14 de ellas por nocaut. No tenía nombre de guerra, y nunca se le ocurrió adoptar uno, digamos *Kid* Gavilán, como alguna vez le propuso su entrenador *ad honorem* Frank Petrocelli. Su apellido le daba pleno derecho a algo semejante, pero hubiera sido una especie de sacrilegio porque ya había un *Kid* Gavilán en la historia del boxeo, el legendario campeón cubano de los pesos wélter que en verdad se llamaba Gerardo González.

Para despreciar un nombre de guerra y brillar igual, se necesitaba ser Julio César Chávez. Alguna vez un cronista deportivo de El Sol de Tijuana había llamado a Gavilán *"el caballero del ring"*, porque su carácter apacible fuera de las cuerdas, suave de trato y de modales, parecía acompañarlo cuando subía a la tarima, lo que hacía de él un peleador comedido, de ninguna manera un matador dispuesto a cobrar la victoria con sangre. Pero nadie iba a ponerlo en el cartel de una pelea como *"el caballero del ring"*. Otra de sus desventajas era pertenecer a la división de los pesos minimosca, apenas 108 libras, donde por naturaleza escasean las luminarias y hay poco heroísmo en los combates. Si ya el mismo nombre de mosca es degradante, minimosca viene a ser aún peor. Conviene ofrecer un poco más de su historia.

Amado Gavilán había nacido en Hermosillo pero desde niño se trasladó con sus padres a Tijuana donde sigue viviendo en compañía de su hijo Rosendo Gavilán, un muchacho locuaz y despierto que aspira a ser comentarista de boxeo en la radio. La suya es una de esas casas de ripio, coronadas con llantas viejas para que el viento que sopla del mar no se lleve los techos de hojalata, que van ascendiendo por las alturas calvas de los cerros pedregosos al borde mismo de los barrancos usados como vertederos de basura, y se halla propiamente detrás del cañón de los Laureles, al lado de la delegación Playas de Tijuana. El lugar se llama Vista Encantada, y la calle, calle de la Natividad.

Preguntado acerca de su madre, el joven Gavilán dice: "ambos somos solos en la vida y no sé nada de mi madre Lupe más que un cuento vago de mi padre acerca de que un día tomó su petaca y se regresó para Ensenada, de donde había venido, y que ese día que se marchó de madrugada llevaba puesto un vestido de crespón chino estampado con hartas azaleas".

Amado Gavilán fue por algunos años oficial de carpintería en la fábrica de cunas Bebé Feliz de la avenida Nuevo Milenio, a cargo de una sierra eléctrica, pero era un trabajo que no le convenía según consejo de su entrenador Petrocelli, por el asunto de que cualquier desvío de la sierra al pasar el listón de madera bajo la rueda dentada podía volverlo inútil de las manos, y entonces se empleó como hornero en la pizzería Peter Piper de la plaza Carrusel, que tampoco le convenía por los cambios de temperatura capaces de arruinarle los pulmones, y luego como lavaplatos en el restaurante Kalúa del boulevard Lázaro Cárdenas, pero otra vez Petrocelli le advirtió que seguía corriendo riesgos al mantener las manos metidas en el agua caliente aún con los guantes de hule puestos, riesgos de artritis que lo dejaría lisiado de los puños.

Encontró entonces lugar en un conjunto de mariachis que buscaba clientes a la medianoche en la plaza Santa Cecilia, a cargo de la vihuela que había aprendido a tocar de oídas, pero de nuevo había una objeción, los desvelos. De manera que su hijo Rosendo estuvo decidido a dejar la preparatoria y aceptar el puesto que le ofrecían en una carnicería para que Gavilán pudiera entrenar sin preocupaciones, pero todo se saldó cuando *Kid* Melo, un boxeador retirado, le ofreció trabajo como *sparring* en su gimnasio de la colonia Mariano Matamoros, donde de todos modos entrenaba.

"Petrocelli vive en San Diego, y por muchos años se fajó al lado de mi padre sin pensar en fortuna, viniéndose cada noche en su bicicleta por el paso fronterizo de San Ysidro hasta el gimnasio de *Kid* Melo para las sesiones de entrenamiento", afirma el muchacho. "*Kid* Melo no le cobraba a mi padre el uso del gimnasio desde antes de emplearlo de *sparring*, ni tampoco Petrocelli le cobraba nada por sus servicios. Tenían fe en él. Creían que simplemente no le había llegado su oportunidad, y que la tendría, a pesar de los años".

Rosendo es capaz de responder con la frialdad profesional del comentarista que quiere ser, acerca de las cualidades de Gavilán como boxeador: "mi padre era de aquellos a los que un promotor llama a última hora para llenar un hueco en el programa, sabiendo que se trata de alguien en buena forma física, pero incapaz de amenazar a un oponente de categoría. Sonreír caballerosamente al chocar guantes con el adversario cuando va a empezar la pelea, no ayuda para nada en la fiesta infernal del cambio de golpes que se viene apenas suena la primera campanada".

Menudo y fibroso, Gavilán parecería un niño de primera comunión sino fuera por el rostro que acusa la intemperancia de años de castigo, mientras el hijo lo dobla en peso y estatura. Empezó a pelear ya tarde en los cuadriláteros de barrio de Tijuana en 1993, y perdió cuatro peleas de manera consecutiva, dos veces noqueado en el primer *round*. Dos años después recibió sus primeros contratos en San Diego y otras ciudades fronterizas de Estados Unidos, y perdió cinco veces en fila, tres por nocaut, o por nocaut técnico. Pero lo seguían contratando. Un hombre decente, esforzado y sin vicios, siempre tiene algún lugar en ese negocio, según el criterio de Rosendo. Por lo regular recibía 2000 dólares por cada compromiso, que se veían sustancialmente mermados tras el descuento de comisiones e impuestos.

Con una bolsa tan reducida no era posible que Gavilán contara con un representante para arreglar sus peleas, y lo hacía él mismo. Petrocelli lo acompañaba cuando la contienda iba a celebrarse en San Diego o en algún sitio cercano, pero cuando había que montarse a un avión, o a un tren, no había para pagar el boleto adicional, ni los días de hotel, de modo que subía al *ring* con un asistente ocasional, contratado allí mismo. En medio de las estrecheces, Gavilán prefería pagar los gastos de viaje de su hijo a los del entrenador.

"Empecé a acompañarlo desde los doce años", dice Rosendo. "Al principio se me ponía el alma encogida sentado allí en el *ringside* pensando que iban a causarle algún daño severo, que fueran a dejarlo sordo o ciego, y más bien cerraba los ojos al nomás sonar la campana, el golpe de los guantes más fuerte que el griterío en mis orejas, y solamente los abría cuando sonaba otra vez la campana anunciando que el *round* había terminado y yo me consolaba entonces con ver que había vuelto a su esquina por sus propios pies, y ya sentado en el banquito, mientras le quitaban el protector bucal y lo rociaban con agua, nunca dejaba él de buscarme con la mirada, y me sonreía para darme confianza, aunque tuviera la boca hinchada.

Ya más grandecito entendí que debía quitarme ese miedo que de alguna manera nos separaba, que debía estar siempre con él, con los ojos bien abiertos, aún para verlo caer de rodillas sobre la lona, la mano del *referee* marcando de manera implacable el conteo de diez sobre su cabeza, como si fuera a decapitarlo. Y aprendiendo a soportar yo los golpes que él recibía, me entró la afición por el boxeo como deporte, y así también teníamos mucho de qué hablar durante los viajes, los récords y las hazañas de los campeones universales, quien había noqueado a quién en qué año y dónde, la vez que Rocky Marciano había llorado frente a su ídolo Joe Louis en el hospital adonde lo había mandado tras demolerlo en ocho asaltos, quitándole el cinturón de todos los pesos".

De modo que cuando Amado Gavilán subió al *ring* en el Staple Center la tarde del 28 de mayo del año 2005, su hijo Rosendo ocupaba un asiento de *ringside*, con el compromiso de desocuparlo cuando fuera a comenzar la pelea estelar porque el coliseo estaba totalmente vendido, aunque a esas horas la inmensa mayoría de las localidades lucieran vacías.

Rosendo también explica cómo surgió el contrato para esa pelea del Staple Center contra Arcadio Evangelista. En el último año y medio la fortuna de su padre pareció haber dado un modesto vuelco, empezando con la victoria contra Freddy "el Ñato" Moreno en el Paso, Texas, en noviembre de 2005, que se decidió por mayoría de una tarjeta de los jueces. Luego le ganó por nocaut técnico en el tercer *round* a Marvin "El Martillo" Posadas en Yuma, perdió apretadamente contra Orlando "El Huracán" Revueltas en Amarillo, empató con Mauro "La Bestia" Aguilar en San Antonio, y perdió por decisión contra

Fabián "El Vengador" Padilla en Tucson, un boxeador que ganaría luego la corona de la FMB de los pesos ligeros.

Evangelista, de 24 años, y con un récord impecable de 16-0, se hallaba previsto para disputar la corona de la WBC en la categoría minimosca en septiembre de ese mismo año al mexicano Eric Ortiz, y necesitaba una pelea de afinamiento. Primero pensaron en Alejandro Moreno, otro mexicano, pero Evangelista lo había derrotado fácilmente hacía dos años, y querían un mejor rival. Entonces el arreglador de peleas de la empresa Top Rank Inc, Brad Goodman, pensó en Gavilán, que se había convertido en un oponente creíble. Fuera de la mejoría mostrada en sus números entrenaba rigurosamente, mantenía su peso con disciplina, y, ya se sabe, no probaba licor. Además, encontrar un buen candidato en una división escasamente poblada no es tarea fácil.

Era la primera vez en su vida que Gavilán aparecía en el Staple Center, todo un premio en sí mismo. Además, iba a recibir una bolsa de cuatro mil dólares, el doble de lo que había ganado siempre, más el hospedaje en un hotel de cuatro estrellas y los boletos de tren desde San Diego. Desde que firmó el contrato se desveló pensando en lo que haría con aquellos cuatro mil dólares. "Una de las opciones era comprar un coche usado", dice Rosendo.

Faltaba, sin embargo, la aprobación de la Comisión de Atletismo de California, y Rosendo cuenta cómo se dio aquello. "Dean Lohuis, director ejecutivo de la Comisión, tiene una experiencia de más de dos décadas en evaluar contendientes, y mantiene los datos de todos los boxeadores apuntados de su propia mano en unas tarjetas que guarda en una caja de zapatos. Ese es su archivo, que él afirma no cambiaría por ninguna computadora. Echó un vistazo a las tarjetas de Gavilán y de Evangelista, y resolvió que se trataba de una pelea justa".

Su método consiste en marcar con una letra mayúscula la tarjeta de cada boxeador, de la A a la E, y no autoriza ninguna pelea si uno de los contendientes aventaja al otro por más de dos letras. Un A no puede enfrentar a un D, porque el de la D no tiene ningún chance, y simplemente lo están utilizando. Para su calificación toma en cuenta cuántas veces un boxeador ha sido noqueado, o cuántas veces ha noqueado, si ha tenido cortaduras serias o cualquier otro daño grave. De acuerdo al sistema de Lohuis, Evangelista era una B, y Gavilán una C, y aprobó la pelea sin pensarlo dos veces.

Amado Gavilán hizo el viaje en tren en compañía de su hijo un día antes de la pelea. Esa vez la Top Rank hubiera pagado los gastos de Petrocelli pero, fumador empedernido, se lo estaba comiendo vivo un enfisema pulmonar que lo obligaba a recurrir constantemente a la mascarilla de oxígeno. Cuando bajaron al mediodía en Union Station no había ningún representante de la Top Rank esperando por ellos, de modo que tomaron un taxi para dirigirse al hotel que les había sido asignado, el Ramada en De Soto Avenue. Una hora después estaba fijada la sesión de pesaje, y Gavilán dio en la balanza 106 ½ libras, mientras que Evangelista ajustó las 108. Luego vino el examen neurológico.

Este examen toma media hora, durante la cual el boxeador debe responder preguntas sencillas: ¿quién eres?, ¿de dónde eres?; rendir una prueba de aritmética básica, y pasar otra prueba de memoria, muy sencilla también, que consiste en recordar los nombres de tres objetos diferentes que le han sido mostrados minutos atrás. También el neurólogo comprueba sus reflejos de piernas y brazos, y el movimiento de sus ojos. Si no encuentra nada anormal, lo que hace es certificar que el boxeador está en condiciones de llevar adelante una pelea de manera razonable.

Pero no hay manera de detectar un potencial derrame subdural o epidural por efecto acumulativo a través de los años, porque un contendiente buscará siempre golpear al otro en la cabeza, y provocarle una contusión. Estos derrames son los causantes de muchos daños irreversibles, capaces de disminuir, o anular, las facultades mentales y de locomoción, lo mismo que otras de carácter fisiológico, incluida la contención del esfínter y de las vías urinarias. Ningún test puede hacerlo, y es un asunto que entra ya en el campo de la fatalidad.

Al día siguiente, 28 de mayo, padre e hijo se presentaron en el Staple Center a las dos y media de la tarde, Amado Gavilán cargando un maletín nuevo donde llevaba sus pertenencias, la calzoneta negra listada de rojo en los costados, los zapatos, y la bata de seda azul con su nombre estampado a la espalda que lo acompañaba en todas las peleas, antiguo regalo de la cerveza Tecate.

Las inmensas playas de estacionamiento se hallaban todavía desiertas, y apenas empezaban los vendedores callejeros a armar los tenderetes donde ofrecerían banderas mexicanas, estandartes y estampas de la Virgen de Guadalupe, y suvenires de Chávez, tazas, vasos, banderines y camisetas con su imagen. Tampoco estaban todavía los porteros y acomodadores, y necesitaron pasar muchos trabajos para que alguien les indicara la puerta de ingreso a los camerinos, donde Gavilán tuvo que identificarse delante de un guardia que hizo consultas por un teléfono interno antes de dejarlos pasar. Sólo rato más tarde se presentaron los asistentes profesionales provistos por la Top Rank, que iniciaron con toda lentitud su trabajo de vendaje de las manos.

Dos horas después llegó para Gavilán el turno de su pelea frente a un auditorio casi por completo vacío. Los dos boxeadores se acercaron al centro del *ring* desde sus esquinas, y Rosendo vio una vez más cómo su padre escuchaba la letanía de reglas recitada en inglés por el *referee*, asintiendo en cada momento, con sumisión entusiasta, a pesar de desconocer el idioma.

Entonces sonó la campana electrónica, mientras desde las tribunas llegaban ecos de voces desperdigadas, y para Rosendo fue como contemplar una vieja película. No esperaba ni sorpresas, ni emociones, y todo terminaría otra vez en las cuentas rutinarias de las tarjetas de los jueces. "Mi padre conocía el arte de fintear, pero siempre había tenido el problema de la falta de imaginación en sus golpes, que el oponente podía prever, porque nunca tuvo sentido de la aventura, muy adherido siempre al manual. Se movía bien, con agilidad, pero eso no sirve de nada si no hay pegada certera", afirma.

Así se fueron cumpliendo cinco *rounds*, sin pena ni gloria. Nada sucedió en el *ring* que atrajera la atención de la rala concurrencia. Los técnicos de la televisión chequeaban los audífonos y la posición de las cámaras, y sólo usaban a los dos boxeadores que se movían en el *ring* como maniquíes para las pruebas de imagen de lo que sería la trasmisión *pay-per-view* de la pelea estelar entre Chávez y Robinson.

Ben Gittelsohn, el manager de Evangelista, sentado al lado de Rosendo, estaba disgustado con la actuación de su pupilo, y así lo expresaba sin cuidarse de que lo estuvieran oyendo, y sin saber quién era

Rosendo. Decía que a Evangelista le faltaba el instinto del que sale de su esquina a destruir cada vez que suena la campana, y que si tuviera ese instinto ya hacía ratos habría liquidado a aquel mexicano achacoso. Sin embargo, Lohuis, el presidente de la Comisión, sentado también en el *ringside*, escribió en una de aquellas tarjetas que iban a dar a su caja de zapatos la palabra "competitiva" para describir la pelea, como Rosendo pudo verlo con el rabillo del ojo. Era ya una ganancia, pues una pelea pareja abría la posibilidad de más contratos arriba de los dos mil dólares en el futuro.

Los colores grises empezaron a cambiar sin embargo en el quinto asalto, cuando Evangelista logró varios *uppercuts* efectivos que hicieron tambalear a Gavilán. "Había abierto demasiado la defensa, y había dejado de moverse con agilidad para capear los golpes que iban a dar en su mayoría a la cabeza. No me gustaba lo que Gittelsohn estaba diciendo acerca de la vejez de mi padre, pero era la verdad, la edad no perdona, y después de cinco *rounds*, la fatiga se vuelve un fardo para quien ha atravesado la guardarraya de los cuarenta", dice Rosendo.

Cuando terminó el quinto *round*, y Gavilán fue a sentarse en el banquito de su esquina, Rosendo pudo ver que tenía la boca lacerada y unos hilos de sangre le bajaban por los orificios de la nariz. Le volvieron a meter el protector en la boca, lo rociaron con agua, le restañaron la sangre, y cuando se levantó para empezar el sexto *round*, todo parecía de nuevo en orden como para que el combate siguiera mereciendo la calificación de competitivo. Sólo faltaban tres *rounds*. Gavilán iba a perder en las tarjetas sostenido sobre sus piernas.

Pero un minuto después de iniciada la acción, Gavilán le dio de manera sorpresiva la espalda a Evangelista para regresar a su esquina, indicando al *referee* por señas de los brazos que abandonaba la pelea. El hawaiano, sorprendido por la repentina capitulación de su contrincante, retrocedió, bajo la suposición de que lo había golpeado muy fuerte en la nariz y por eso se le hacía difícil respirar, según explicó luego.

Rosendo se acercó al entarimado, y oyó a su padre quejarse de que le dolía mucho la cabeza. Uno de los asistentes se lo tradujo al doctor Paul Wallace, el médico de guardia en el *ringside*, quien le examinó las pupilas con una lamparilla de mano. Le pidió que respirara hondo, y ordenó que le pusieran una bolsa de hielo en la frente. Gavilán se quedó sentado en el banquito por unos minutos, y mientras tanto podía oírse a Gittelsohn diciéndole a voz en cuello a Evangelista: "la próxima vez tienes que mantenerte lanzando golpes hasta que el *referee* venga a detenerte, tuviste que haberlo acorralado aunque te diera la espalda, esto no es ningún paseo".

Luego, mientras Evangelista estaba ya recibiendo las felicitaciones de sus ayudantes y algunos aplausos dispersos del público, Gavilán se puso de pie, y tambaleante, abrió las cuerdas para bajar del *ring*, sin acordarse de reclamar su bata azul. Rosendo lo recibió en el piso. "Siento que voy a desmayarme", le dijo. Lo ayudó a caminar de regreso al camerino, pero apenas había dado unos pasos cuando se dobló de rodillas, presa de severas convulsiones como si tuviera un ataque de epilepsia. El doctor Wallace preparó una inyección y reclamó la camilla, y antes de que se presentaran los paramédicos, las convulsiones habían cesado.

Ya no regresó al camerino, y fue llevado directamente al Centro de Traumatología del California Hospital Medical Center, no lejos de allí. Bajo las reglas de la Comisión, ninguna pelea puede tener lugar sin la disponibilidad de una ambulancia y su tripulación de paramédicos; cuando el anunciador Barry LeBrock informó a la concurrencia que por esa razón habría un retraso de la siguiente pelea, se escucharon abucheos desde las tribunas donde se desplegaban ya algunas banderas mexicanas, y desde los pasillos donde los fans de Chávez entraban llevando sombreros de charro en la cabeza.

Un examen preliminar por resonancia magnética reveló que se estaba formando un coágulo sanguíneo en la corteza del cerebro, y Gavilán fue trasladado de inmediato al quirófano para una operación que duró tres horas y media. Luego fue puesto en coma artificial en la unidad de cuidados intensivos para reducir los movimientos corporales y permitir que rebajara la inflamación cerebral, y quedó conectado a un ventilador.

Evangelista se presentó esa misma noche al hospital, con un ramo de flores envueltas en celofán. "Se me ha pasmado la alegría de la victoria", le dijo a Rosendo, "toda mi familia en Filipinas está rezando por él". Unos tíos de Gavilán que viven en Compton ni siquiera se habían enterado de que se hallaba en la ciudad hasta que no vieron las noticias de la noche en la televisión, y también se presentaron al hospital.

En los días siguientes se recibieron mensajes de aliento para el paciente, entre ellos uno del presidente de México, Vicente Fox. A Rosendo le tocó responder la llamada del asistente presidencial. "De pronto mi padre existía", dice Rosendo, "había salido del

Sergio Ramírez

anonimato por aquella puerta falsa". Después de ser dado de alta, volvió a Tijuana a su casa de la Calle Natividad en Vista Encantada.

Meses más tarde, el 10 de septiembre del año 2005, Arcadio Evangelista arrebató la corona de la WBC a Eric Ortiz en el primer *round* del combate estelar celebrado en el Staple Center, mandándolo a la lona con un demoledor derechazo a la barbilla que le hizo saltar el protector fuera de la boca.

Antes del choque protocolario de guantes, al presentar a los boxeadores, el anunciador LeBrock había dado a conocer que Evangelista dedicaba la pelea a Amado Gavilán, *"el caballero del ring"*, su invitado especial de esa noche, quien se hallaba sentado en el *ringside* al lado de su hijo.

Ofrecía el mismo aspecto infantil de siempre, menudo y fibroso, y llevaba una gorra de *jockey*, porque aún no le crecía lo suficiente el pelo que le habían rapado para la operación, una camisa blanca manga larga en la que estaban marcados los dobleces del empaque, y una corbata de tejido acrílico con el mapa del estado de California.

Rosendo lo ayudó a ponerse de pie cuando mencionaron su nombre, pero tuvo que apresurarse en detenerlo porque empezó a andar por el pasillo a paso lerdo, como si le pesaran los zapatos deportivos que llevaba puestos, el trasero abultado por el pañal que usaba debido a la incontinencia urinaria, la mirada vacía y sin saber adonde iba.

Masatepe, Nicaragua. 2007

VUELA COMO MARIPOSA
Y PICA COMO ABEJA

El cuento es una de las piezas literarias que todo escritor quiere llegar a dominar en algún momento de su etapa de creación. No es mejor ni peor que una novela, un ensayo o un poema. Tampoco es más difícil que los tres anteriores, simplemente escribir cuentos es un reto personal, es un pulso con los lectores.

Es un género tan antiguo que probablemente sus antecedentes provienen de la oralidad. Quizá fueron contados, cantados o rimados: lo cierto es que una de las necesidades del ser humano es relatar, narrar, contar una historia que impacte a quien la escucha. El desaparecido autor cubano, Guillermo Cabrera Infante señaló en *Y va de cuentos*, de manera irónica, que el cuento es tan antiguo como el hombre y que, quizá algunos primates pudieron contar cuentos con gruñidos —que son el origen del lenguaje humano—, un gruñido, bien y tres gruñidos ya hacían una frase:

> "*Así nació la onomatopeya y con ella, luego, la epopeya. Pero antes que ella, cantada o escrita, hubo cuentos todos hechos de prosa: un cuento en verso no es un cuento sino otra cosa: un poema, una oda, una narración con metro y tal vez con rima: una ocasión cantada no contada, una canción*".

Existen muchas definiciones sobre qué es un relato. Una de las que más me gusta es la del maestro norteamericano del cuento Edgar Allan Poe, quien para definir una novela señaló que se trataba de un relato que necesita más de dos horas para leerlo; por lo que el cuento, "es una narración corta en prosa" y lo definió como un texto literario que "requiere de media hora a hora y media o dos para leerla". Es decir, Poe no nos dice si debe tener ciertos personajes o ciertas características para que sea o no un cuento.

El genial escritor argentino, Julio Cortázar, expresó también, al señalar las diferencias entre novela y cuento, que la primera era como una pelea de box que se gana *round* tras *round*, (es decir, capítulo a capítulo) al final por puntos; mientras que el cuento es como una pelea de box que se gana por nocaut, en el primer asalto (como una de las clásicas peleas de Mike Tyson). Esta comparación se complementa con lo que Muhamed Alí, uno de los grandes boxeadores del mundo, expresó al respecto de su forma de combatir: "vuela como mariposa, pica como abeja"; tenemos con ambas analogías, una de las posibilidades de definición de un relato breve: impacto y brevedad, y no necesariamente me refiero a la cantidad de páginas. Uno de los cuentos reconocidos como el más corto de la literatura, es *El dinosaurio*, de Augusto Monterroso, de apenas siete palabras; pero algunos otros son más largos que una novela corta, como *Los crímenes de la calle Morgue*, de Poe.

No existe una fórmula que defina un cuento como mejor o peor que otro. Tampoco existen parámetros objetivos para determinar los elementos ineludibles de una narración corta o larga. Lo que sí es cierto es que una extraordinaria historia, un enigmático personaje o un inesperado final, nunca se olvidan.

Algunos de los maestros del cuento han expresado ciertas "¿fórmulas?" para expresar lo que debe tener un relato o un escritor que escribe cuentos, un cuentista...

Horacio Quiroga, uno de los cuentistas del horror y de lo fantástico, expresó en el quinto apartado de su *Decálogo del perfecto cuentista:* "...En un cuento bien logrado, las tres primeras líneas tienen casi la importancia de las tres últimas".

Claro que también existen definiciones didácticas que nos pueden ilustrar, como lo hace la española Amalia Vilches, estudiosa e investigadora, especialista en el tema:

"1. El cuento debe sugerir más de que explicar.

2. El principio y final deben justificarse mutuamente.

3. El relato es condensado.

4. Es intensidad.

5. Es algo incompleto.

6. Debe ser conciso.

7. Ha de tener viva la expectación del lector."[1]

Dentro del relato

Narrador

Quizá el primer nexo entre los autores y sus lectores sea el narrador, o sea quien relata, cuenta, explica, presenta a los personajes y los acontecimientos de un cuento. Existen varias definiciones sobre el narrador, pero la mayoría de críticos coinciden en que es imprescindible —aunque hay excepciones— y lo definen como el elemento que hace la diferencia

1 Amalia Vilches. *Qué me cuentas. Antología de cuentos y guía de lectura para jóvenes, padres y profesores.* (Madrid: Páginas de Espuma, 2006): 16.

Sergio Ramírez

entre una obra dramática o un poema. El teórico literario Gerald Genette[2] señala que las funciones básicas de un narrador son: narrativa, organizativa, comunicativa, testimonial (cuando sugiere cuáles son sus fuentes de información), e ideológica (cuando interviene o comenta el desarrollo de la acción). Lo cierto es que el narrador es la primera herramienta de ficción (debemos recordar que el autor no es equivalente al narrador) con la que se engancha al lector. La combinación de los distintos narradores o la escogencia de uno de ellos se convierte en una estrategia del autor para contar una historia.

Personajes

Muchos son los enigmáticos personajes de cuentos de la literatura universal, recordemos los creados por Rudyard Kipling, Mark Twain, Guy de Maupassant, Anton Chejov. Quizá Gregorio Samsa, protagonista de la Metamorfosis de Kafka, sea uno de los más emblemáticos. Otros fantásticos personajes son los de Julio Cortázar, como en Axolotl, aquel batracio que se siente observado fuera de la pecera; o los temibles protagonistas en Quiroga, los maravillosos de Borges, los efímeros e irónicos personajes monterrosianos y los irreverentes de Bolaño.

En las primeras décadas del siglo XX el crítico estructuralista ruso Vladimir Propp[3], realizó intensos estudios sobre el género y de ellos derivó una tipología de personajes[4], entre ellos, los héroes, las víctimas y antagonistas.

---

2 Demetrio Estébanez Calderón. *Breve diccionario de términos literarios.* (Madrid: Alianza Editorial, 2000): 337.
3 Vladimir Propp. *Las raíces históricas del cuento* (5ª. Edición). Madrid: Editorial Fundamentos, 1987).
4 Cabe mencionar que otras clasificaciones nos presentan los personajes por su 1) configuración y grado de individualización; 2) gradación jerárquica; 3) génesis y desarrollo; 4) grado de complejidad; 5) unidad o pluralidad y 6) las funciones.

Los héroes, concebidos desde la literatura clásica con características especiales de semidioses y dotados de objetos especiales, como caballos, barcos maravillosos, espadas y demás. Estos héroes estaban dispuestos a luchar contra el antagonista, también con características especiales, pero quien ejerce el mal en la historia, para rescatar a la víctima, caracterizada por una princesa o dama en peligro.

Hoy en día y debido a riqueza de la producción cuentística, los personajes han adquirido otros roles. No son exclusivamente personas o animales, pueden ser naciones, ideales o pesadillas. Un héroe no necesariamente lo es siempre, puede desempeñar otros roles, cambiar su condición. Incluso el antihéroe, es también protagónico de las historias.

Acontecimientos

Otro elemento integral del relato es el acontecimiento, es decir lo que ocurre; las principales acciones de los protagonistas. Existen muchísimas estrategias para describir los acontecimientos (se les conoce como estrategias porque el autor, a través del narrador, nos introduce en una historia que podemos comenzar cuando ya va a terminar, cuando va a la mitad o simplemente al inicio). En el transcurso de la lectura vamos armando y construyendo los principales sucesos, que son a la larga lo que ocurrió en la historia.

Espacios

Finalmente, los espacios por los cuales los personajes y las acciones vehiculizan. Son aquellos lugares en donde ocurre la historia. Un relato como *Casa tomada* de Julio Cortázar, puede ocurrir en una casa, que es un espacio físico; puede ocurrir dentro de la mente de un personaje, que recuerda, por ejemplo que se encuentra en un planeta, en la luna o en otra galaxia. Pueden ser espacios maravillosos, existentes o no, imaginarios o que hacen referencia a la realidad.

Play ball

Alguna vez Sergio Ramírez afirmó en un diario español que Nicaragua es uno de los países que tiene más poetas por kilómetro cuadrado. Eso es totalmente cierto, pero también es cierto que, aunque quizá no tenga una cifra similar de narradores, los que existen son de grandes ligas.

Podríamos comenzar con los clásicos como Rubén Darío, Pablo Antonio Cuadra, Lizandro Chávez Alfaro, Juan Aburto entre otros. Luego continuar con la nueva generación como Nicasio Urbina, Erick Aguirre, Leonel Delgado, Eunice Shade, Juan Sobalvarro, y más.

Leemos ahora a Sergio Ramírez y sus relatos protagonizados por deportistas; gladiadores, cada quien en su especialidad, pero con características muy particulares.

Los héroes de estos maravillosos relatos tienen varios elementos en común. Deambulan por espacios deportivos: diamantes de béisbol, canchas de fútbol, rines de boxeo o espejos frente a los cuales se realiza tensión dinámica. Además, con excepción de uno, también los une el hecho de ser latinoamericanos —¿acaso existe diferencia en ser deportista en una región como la que se configura al sur del río Bravo?— que se convierten en víctimas de las circunstancias sociales y contextos particulares de sus países, Nicaragua y México por ejemplo. El tráfico de influencias, la política, las falsas publicidades, la condición física —determinante para un deportista— los marcan de alguna forma.

Al entrar al mundo ficcional elaborado por Ramírez descubrimos que los hilos narrativos coinciden en extraños acontecimientos que impiden el éxito rotundo y placentero. La fiesta se torna ajena, los protagonistas son intrusos en su propia celebración.

Cada round cuenta

Uno a uno, los jugadores hablan. El *pitcher* Silverio Pérez, luego de lanzar un impecable juego, tiene que salir huyendo por el jardín derecho del campo para no ser alcanzado por las balas inmisericordes aunque mal apuntadas por uno de los dirigentes de su propio equipo.

Otro lanzador ofrece una cátedra de picheo en la que *inning* tras *inning* nos encamina a un Juego perfecto. El estadio semi vacío, un padre expectante y de nuevo la puerta que se abre pero que no permite la entrada al Paraíso. Ramírez de nuevo nos involucra en el juego, que ya no es de béisbol, sino más bien es un juego de ajedrez, cerebral, pausado y profundo.

El último de los beisbolistas de esta antología es un retirado pelotero, gran bateador, que en el ocaso de su vida relata un increíble acontecimiento que le ocurrió años atrás y que lo marcó para el resto de sus días.

La cuestión aquí es: ¿vale la pena luchar por los ideales?, ¿sirve de algo escuchar a nuestras voces internas?

El fútbol también es protagonista en esa serie de relatos. En *El Pibe Cabriola* y *La partida de caza* Ramírez nos enfrenta a intimidades que rodean a este deporte de multitudes. Como un genial narrador de la naturaleza humana, Ramírez nos conduce por los recovecos de las pulsiones y convierte al juego

Sergio Ramírez

en cuestión de vida o muerte, como debe ser. Las pasiones se apropian de estos dos relatos.

Finalmente, el relato *La puerta falsa* narra las alegrías y desgracias del tremendo boxeador mexicano, Amado Gavilán, fajador que compite en la categoría minimosca, "donde por naturaleza escasean las luminarias y hay poco heroísmo en los combates. Si ya el mismo nombre de mosca es degradante, minimosca viene a ser aún peor", nos dice el narrador.

En este relato, inédito hasta ahora, apoyamos *round* tras *round* al testarudo e íntegro boxeador que, como todos los protagonistas de los cuentos de la antología, hacen del deporte su razón de vivir.

Estos cuentos ofrecen varias posibilidades a los lectores: a aquellos que se apasionan por el deporte, les brinda toda la emoción que una pelota puede representar cuando se encuentra en movimiento, ya sea traspasando la barda de un diamante de béisbol o el marco de una portería de fútbol. También para aquellos que consideran que el deporte no es solamente deporte y que forma parte integral de una sociedad donde la política no es ajena, los relatos le ofrecen todo esa complejidad que rodea una pelea de box o un partido durante una eliminatoria mundialista.

Estos relatos nos atrapan, nos seducen para que los acompañemos de cabo a rabo. Que gocemos con las gracias y desgracias de sus personajes y nos riamos con ese humor, que proviniendo de un escritor nicaragüense, se hace cada vez más irónico.

La manera en la que están elaborados los discursos, la descripción de los acontecimientos y sus protagonistas, entre otros elementos, convierten a la narrativa de Sergio Ramírez en una de las mejores del área. Sus cuentos son de esos que perduran en la memoria, de los cuales nos reímos cada vez que recordamos alguno, porque quizá de esa forma nos reímos de nosotros mismos. No me imagino un gimnasio en el que alguien frente al espejo tense sus músculos y no evoque la poderosa musculatura de Charles Atlas. Sergio Ramírez es un maestro para conducirnos por esos mundos imaginarios, que a veces, superan a la realidad.

Las extraordinarias narraciones de Sergio Ramírez, producidas con oficio, con conocimiento de la técnica, del género, de la historia y de las diversas competencias deportivas, ofrecen a los lectores a nivel de placer literario, esa sensación de nocaut, que produce un buen golpe a la mandíbula. Son relatos lanzados al mejor estilo del legendario *pitcher* nicaragüense Dennis Martínez de los Orioles de Baltimore. O que llevan el poder del bate de Ramírez al estilo Albert Williams de Minnesota, Porfirio o Vicente de Filadelfia, Oswaldo Mairena de los Marlins de la Florida, David Green de los Cardenales de San Luis, Marvin Bernad de los Gigantes de San Francisco. Seguramente tienen el músculo de Charles Atlas y también aseguramos que sus relatos son un upercut como los propinados por Alexis Argüello, Eddi Gazo, José Quiebra Jícara Alfaro, Rosendo Álvarez y Ricardo Mayorga. Todos campeones del mundo que han dado gloria a Nicaragua.

Francisco Alejandro Méndez

COLECCIÓN
Mar de tinta
letras centroamericanas

Este libro se terminó de imprimir
el 28 de Febrero de 2009
en los talleres de Gare de Creación S.A.
Guatemala, centroamérica